Das Buch

Carl Djerassi, »Vater der Anti-Baby-Pille« und als renommierter Chemieprofessor eine Koryphäe seines Fachs, erweist sich in den elf Geschichten dieses Bandes als ein exzellenter Erzähler, der die klassischen Forderungen der Literatur auf eindrucksvolle und höchst amüsante Weise erfüllt: nämlich Unterhaltung und Belehrung zu liefern. Wissen Sie, was ein Psomophiler ist? Nein? Djerassi liebt das wissenschaftliche Milieu derart, daß er zur Not Wissenschaftler erfindet, etwa den wenig bekannten Psomophilen, einen Brot-Erforscher, oder den Dakryologen, einen Tränenforscher, der anhand der Tränen feststellen möchte, weshalb jemand geweint hat. Er kennt sich aus in Klöstern, Erotik, Brotsorten, Malerei, Gourmandise, Opern, in Chemie und Gentechnologie sowieso. Worüber Djerassi auch schreibt – immer bringt er den Leser in eine gebildete, amüsante Gesellschaft. Seine Geschichten sind voll überraschender Wendungen und Zufälle, klar gegliedert, ohne überflüssige Verzierungen, aus ironischer Distanz erzählt. »Brillante, elegante Geschichten, von Witz und Worten nur so sprühend, erforschen das Wesen des Menschen, das Wesen der Literatur und das Wesen des Denkens. Raffinesse und Menschenkenntnis in höchster Vollendung.« Iris Murdoch

Der Autor

Carl Djerassi wurde in Wien geboren. Der international renommierte Wissenschaftler ist Professor für Chemie an der Stanford University und wurde berühmt als »Vater der Anti-Baby-Pille«. Er erhielt zahlreiche Auszeichnungen, darunter die »National Medal of Science«, den ersten »Wolf Prize in Chemistry«, ferner 11 Ehrendoktorate: er wurde in die »National Inventors Hall of Fame« aufgenommen und ist Mitglied der »U.S. National Academy of Science« sowie Ehrenmitglied der britischen »Royal Society of Chemistry«. Er selbst hat die Djerassi-Stiftung, eine Künstlerkolonie in der Nähe von San Francisco, ins Leben gerufen. Carl Djerassi lebt in London, in der Toscana und in Stanford.

Im Wilhelm Heyne Verlag liegt bereits vor:
Cantors Dilemma. Roman (01/8782).

CARL DJERASSI

DER FUTURIST UND ANDERE GESCHICHTEN

Aus dem Amerikanischen
von Ursula-Maria Mössner

WILHELM HEYNE VERLAG
MÜNCHEN

HEYNE ALLGEMEINE REIHE
Nr. 01/8849

Titel der Originalausgabe
THE FUTURIST AND OTHER STORIES

»Was macht Tatiana Troyanos in Spartakus' Zelt?«
wurde von Ingeborg Kuhn übersetzt und erschien zuerst
im Magazin für jede Art von Literatur
Der Rabe, Nr. 30

Die deutsche Erstausgabe wurde vom Autor durchgesehen
und abweichend von der Originalausgabe durchgängig aktualisiert
und neu gefaßt.

Copyright © 1988 by Carl Djerassi
Copyright © 1991 by Haffmans Verlag AG, Zürich
Einzig berechtigte Taschenbuchausgabe
Wilhelm Heyne Verlag GmbH & Co. KG, München
Printed in Germany 1993
Umschlagillustration: Nikolaus Heidelbach
Umschlaggestaltung: Atelier Ingrid Schütz, München
Gesamtherstellung: Elsnerdruck, Berlin

ISBN: 3-453-07145-X

Für Diane Middlebrook

Inhalt

Der Futurist   7
The Futurist2

Noblesse Oblige   21
Noblesse Oblige

Castors Dilemma   35
Castor's Dilemma

Die Raubritter von Glyndebourne   58
The Glyndebourne Heist

Der Psomophile   79
The Psomophile

Hokuspokus   94
Sleight-Of-Mind

Maskenfreiheit   102
Maskenfreiheit

Nonne erster Klasse   125
First-Class-Nun

**Was macht Tatiana Troyanos
in Spartakus' Zelt?**   144
What's Tatiana Troyanos doing in Spartacus's Tent?

Die Toyota-Gesänge   150
The Toyota Cantos

Der Dakryologe   167
The Dacriologist

Der Futurist

»Fünffünfundzwanzig. Fünffünfzig. Fünffünfundsieb-
zig, danke sehr. Sechshundert. Sechszwanzig. Sechszwanzig ...« Der Auktionator wurde langsamer. Der
Boccioni aus dem Jahre 1912 war ein eindrucksvolles
Gemälde und ein großes obendrein – mindestens ein
Meter zwanzig auf zwei Meter zehn. Aber 620 000
Pfund Sterling? dachte Donna Massingham. Es hatte
weniger als eine Minute gedauert, um diesen Rekord
für einen italienischen Futuristen zu erreichen, einen
Stand, bei dem nur drei Bieter übrigblieben. Einer davon, aufsehenerregend unsichtbar, war ein Anrufer,
der über eine spröde junge Frau, die mit dem Tele-
phonhörer in der Hand auf dem Podium saß, mit dem
Auktionator in Verbindung stand. Ein weiterer befand
sich in einer der vorderen Reihen; Donna konnte ihn
nicht ausmachen, sie war zu weit hinten, doch sie
konnte von Zeit zu Zeit sein Bietertäfelchen hoch-
schnellen sehen. Dies wirkte geradezu ungezogen, verglichen mit dem Benehmen des dritten Interessenten.
Er schien irgendwo in der Nähe zu sitzen – jedesmal,
wenn das Gebot erhöht wurde, konnte sie den Blick
des Auktionators in ihrer Nachbarschaft verweilen sehen. Das muß einer von diesen mysteriösen Käufern
sein, dachte Donna, die sich am linken Ohrläppchen
zupfen oder am rechten Nasenloch kratzen – und jedes
Zupfen oder Kratzen war eine Ausbildung in Harvard
wert.

Sie mußte schließlich wissen, was so etwas kostete,

denn sie hatte dort Kunstgeschichte als Hauptfach studiert, vor dem Abschluß an der Universität von Pennsylvania und ihrer derzeitigen Position als stellvertretende Kuratorin des Museums. Ihr Aufgabenbereich schloß Ankäufe für das Museum nicht ein, aber sie ging nun einmal leidenschaftlich gerne auf Auktionen ihres Spezialgebiets – europäische Kunst des frühen 20. Jahrhunderts. Sie war schon oft bei Sotheby's und Christie's gewesen, aber immer in New York. Nun besuchte sie ihre erste Londoner Auktion und bewunderte die unauffällige, in Oxford oder Cambridge erworbene Art und Weise, in der der Mann auf dem Podium – eigentlich der Inbegriff eines Bankiers – die Sache leitete. Das letzte »Sechszwanzig« war von einem Nicken in Richtung der Frau mit dem Telephon begleitet gewesen, was darauf hindeutete, daß das höchste Gebot derzeit irgendwo im Ausland lag. Der Auktionator warf einen Blick über die Brille hinweg auf die erste Reihe, wo diesmal jedoch kein Handzeichen erfolgte. Seine Lippen hatten sich schon geöffnet, um zum dritten und letzten Mal das siegreiche Gebot zu verkünden, als plötzlich der leiseste Anflug eines Lächelns auf seinem Gesicht erschien. Noch bevor das triumphierende »Sechsvierzig« beim Publikum richtig angekommen war, wisperte die junge Frau schon in das Telephon. Als der Auktionator zu ihr hinübersah, legte sie auf. Der Boccioni war für 640 000 Pfund verkauft worden, die Provision in Höhe von zehn Prozent nicht mitgerechnet.

»Mann, das ist ein Ding! Über eine Million Dollar für diesen Boccioni!« sagte Donna laut zu niemand Speziellem.

Der Mann zu ihrer Rechten, auf den sie zuvor nicht

weiter geachtet hatte, drehte sich zu ihr um: »Gefällt Ihnen das Gemälde denn nicht?«

»Es ist großartig«, sagte Donna. »Aber schauen Sie sich mal den Schätzpreis an.« Sie deutete auf den offenen Katalog auf ihrem Schoß. »Das ist das Dreifache dessen, was hier angegeben ist.«

»So etwas kommt immer wieder vor«, entgegnete der Mann, »wenn zwei Sammler das gleiche Stück haben wollen und es sich leisten können. Aber das da ist etwas ganz Seltenes; der Kopf der Frau könnte von einem der Pariser Kubisten gemalt sein. Eigentlich müßte es neben Picassos Porträt von Ambroise Vollard hängen. Aber das wird es nicht.« Er lachte in sich hinein.

»Wissen Sie, wer den Boccioni bekommen hat?« fragte Donna.

»Ja«, erwiderte er verschlagen. »Ich weiß sogar, an welcher Wand er hängen wird, nachdem er neu gerahmt ist.« So begann eine Unterhaltung, die Donnas Nachbarn schließlich veranlaßte, sie zu einem Besuch seiner privaten Kunstsammlung in der Nähe von Mailand einzuladen, als er hörte, daß sie im Begriff war, eine Studienreise nach Italien anzutreten.

Donnas Augen mußten sich erst vom italienischen Sonnenschein auf das gedämpfte Licht umstellen, das durch die Terrassentüren einfiel. Direktes Sonnenlicht durfte niemals in den hohen Raum scheinen, in dem sie nun auf einem Sofa aus dem 18. Jahrhundert saßen. Zwei passende Sessel und zwei Beistelltische, auf denen sich Anzeigen von Galerien, Kunstzeitschriften und Auktionskataloge stapelten, komplettierten die spärliche Einrichtung. Spärlich allerdings nur, sofern man die Gemälde an den Wänden oder die Plexiglaswürfel außer acht ließ, die überall im Zimmer standen und auf denen Skulpturen zu schweben schienen.

Als August Himmelschwanz sagte: »Nennen Sie mich doch Gus«, war Donna in eine besondere Kategorie eingestuft worden – in die der Amerikaner, denen Himmelschwanz imponieren wollte. Daheim in Düsseldorf war er gewöhnlich der »Herr Generaldirektor«; auf seinem Landsitz in Norditalien, der seine Sammlung italienischer Futuristen beherbergte, war er »Arturo« für seinen handverlesenen Kreis italienischer Bewunderer. Für gelegentliche britische Besucher wie Sir Hugh Eckersley, der *das* bedeutende englische Werk über die Futuristen geschrieben hatte, war er schlicht »Himmelschwanz«. Es hörte sich wie ein Fluch an, wenn es von Sir Hugh in dessen *basso profundo* gebrüllt wurde.

Sobald Himmelschwanz auf der Londoner Auktion gehört hatte, daß Donna Kuratorin eines Museums war – das »stellvertretende« in ihrem offiziellen Titel hätte sie vermutlich die Einladung gekostet – und daß Italien eines ihrer Urlaubsziele war, schlug er ihr vor, seine Sammlung zu besichtigen. Zehn Tage später war sie in einem gemieteten Ford Fiesta eingetroffen, und nun war er »Gus« und sie »Donna«.

Sie waren zunächst durch den Park geschlendert, der seine aus dem 17. Jahrhundert stammende Villa umgab, die nun Villa Cielo hieß. Schließlich waren sie durch die Terrassentüren eingetreten und so in sein Lieblingszimmer gelangt: den im Erdgeschoß gelegenen Salon, der einige der Früchte seines, wie er es nannte, »didaktischen Sammelns« enthielt. Dieser maestätische Raum – an die fünfzehn Meter lang von der Eingangstür bis zu den Terrassentüren und gut sieben Meter breit – enthielt die Glanzstücke der Himmelschwanzschen Sammlung früher Futuristen. Es war der Raum, in dem der Boccioni hängen sollte, sobald er aus London eingetroffen und durch die Hände der Mailänder Firma gegangen war, die alle Rahmungen für Himmelschwanz besorgte.

Kurz nach Erwerb des Landsitzes hatte Himmelschwanz alle elektrischen Beleuchtungskörper herausreißen lassen. Er interessierte sich nicht für Kandelaber oder andere dekorative Lampen; für seine Villa Cielo kamen nur die modernsten Lichtschienen mit verstellbaren Punktscheinwerfern in Frage. Cesare Villotti, der Dorfelektriker, war praktisch zum Vollzeitbeschäftigten des Hauses Himmelschwanz geworden. Er war viele Male gerufen worden, um Änderungen vorzunehmen: einen Dimmer einzubauen, eine weitere Schiene anzubringen, Punktscheinwerfer auszutauschen und bei dem ständigen Umhängen der Bilder zu helfen. Himmelschwanz bestand darauf, alle Entscheidungen bezüglich der richtigen Beleuchtung seiner Sammlung persönlich zu treffen und immer anwesend zu sein, wenn ein Gemälde aufgehängt oder eine Skulptur aufgestellt wurde. Cesare Villotti war so etwas wie ein Dorfarzt, der zu den ausgefallensten Zeiten dem gebieterischen Ruf aus dem örtlichen Herrenhaus Folge zu leisten hatte. Jedesmal wenn Himmelschwanz ein neues Gemälde kaufte oder ein Bild an ein Museum auslieh (er bestand darauf, daß die Leihgabe nur als »Privatsammlung« ausgewiesen wurde, seiner privaten Signatur für die Eingeweihten), wurde Villotti herbeizitiert, um bei der

Neugestaltung der Wandfläche und der Beleuchtung zu helfen.

Cesare verstand nichts von moderner Kunst, doch er war stolz auf die italienischen Namen, die er auf den Schildchen las: Severini, Prampolini, Russolo. Und in Gegenwart von Himmelschwanz war sich Cesare zutiefst der Tatsache bewußt, daß er Italiener war. Als er Anfang Zwanzig war, hatte er mehrere Jahre als Gastarbeiter in der Schweiz verbracht. Er hatte sehr früh, und vor allem an einsamen Wochenenden, gelernt, daß dieses Wort ein Euphemismus für »Ausländer zweiter Klasse« war. Er hatte nie seine Sensibilität für die Geringschätzung verloren, die viele Schweizer und Deutsche gegenüber ausländischen Arbeitern, besonders den Südeuropäern, an den Tag legten.

Und er ließ sich nie anmerken, daß er Deutsch verstand. Viele Male stand Cesare auf einer Leiter und bastelte an den Beleuchtungskörpern herum, während Himmelschwanz einen Besucher darüber aufklärte, warum man sich auf die Einheimischen wirklich nicht verlassen könne: Sie seien ja liebe, einfache Menschen; sie hätten durchaus Sinn für Humor; er selbst habe eine Schwäche für ihre Lieder, aber was die Zuverlässigkeit angehe …

Mehr als einmal war Cesare versucht gewesen, von der Leiter zu steigen und, den Mittelfinger zu der klassischen italienischen Geste emporgereckt, demonstrativ das Haus zu verlassen. »Dann machen Sie Ihren verdammten Mist doch alleine!« Aber jedesmal widerstand er der Versuchung, wenn er daran dachte, was für eine beneidenswerte Pfründe seine Stellung in der Villa Cielo doch war.

Himmelschwanz drehte den Dimmer halb auf. Die Werke waren nicht nach Künstlern angeordnet, sondern nach Stilrichtungen zusammengefaßt. Die Wand gegenüber dem Sofa schien Donna dazu bestimmt zu sein, die Ähnlichkeiten und Unterschiede zwischen den Pariser Kubisten und den italienischen Futuristen zu veranschaulichen. Da waren ein weiterer Boccioni von 1912, ein Carlo Carra aus dem gleichen Jahr, ein sehr früher Prampolini, ein Soffici mit kubistischen Anklängen. Dazwischen, genau in der Mitte der langen Wand, hingen zwei kubistische Ölgemälde, von Picasso oder Braque, die sich zum Verwechseln ähnlich sahen.

Als Cesare Villotti seinen Arbeitgeber darauf hingewiesen hatte, daß separate Dimmer für zwei Gemälde, die direkt nebeneinander hingen und dazu noch quasi identisch waren, Geldverschwendung seien, bekam er seinen ersten und letzten Vortrag über Kunst zu hören. Gerade weil sie so ähnlich waren, aber von zwei der Giganten des frühen 20. Jahrhunderts stammten, mußten sie separat zu beleuchten sein. Außerdem machte es Himmelschwanz Spaß, seine Besucher raten zu lassen, welches der Picasso war und welches der Braque. Durch geschicktes Spielen mit der Beleuchtung konnte er die Aufmerksamkeit erst auf das eine und dann auf das andere lenken.

»Signore«, hatte Villotti gefragt, »hätten Sie sie denn auseinanderhalten können? Ich sehe nirgends einen Namenszug.«

»Sie haben sie absichtlich unsigniert gelassen. Aber du bräuchtest dir nur die Rückseite anzusehen.« Das war keine Aufforderung, sie von der Wand zu nehmen; es war schlicht die Feststellung einer Tatsache.

»Aber jetzt, *Signore,* wo Sie sie schon eine ganze Weile haben, können Sie jetzt sagen, welches von wem ist?«

Himmelschwanz hatte die Achseln gezuckt. »Wenn ich direkt davorstehe und sie mir ganz genau betrachte, dann schon. Aber das brauche ich gar nicht. Der Picasso ist immer auf der rechten Seite. Ich hänge die beiden nie um.«

»Hm«, war Villottis einzige Antwort gewesen. Später, als er mit der Feineinstellung der Lampen fertig war, nahm er erst das eine und dann das andere Gemälde vom Haken, um die Collagen aus Museumsaufklebern auf der Rückseite der beiden Bilder zu studieren. »Hm«, sagte er erneut, diesmal zu sich selbst.

»Die Köchin und das Hausmädchen haben heute ihren freien Tag«, sagte Himmelschwanz. »Schauen Sie sich doch schon mal um, während ich uns einen Kaffee mache.«

Donna ging geradewegs zu den beiden Ölgemälden in der Mitte des Raumes. Für sie waren es alte Bekannte; ihre Examensarbeit hatte die Kubisten zum Thema gehabt. Als ihr Gastgeber zurückkam, stand sie in einer Ecke und studierte eine Tuschzeichnung von Giacomo Balla aus dem Jahre 1914, die sie nie und nimmer erkannt hätte, wenn das sorgfältig gedruckte Schildchen nicht gewesen wäre.

Sie nahm die angebotene Tasse Kaffee. »Es ist einfach atemberaubend«, sagte sie. »Jetzt verstehe ich, warum Sie den Boccioni in London haben mußten.«

Der Blick von Himmelschwanz war geradezu ekstatisch zu nennen. Komplimente von professionellen

Kunstkennern bedeuteten ihm weit mehr als die Ergüsse anderer Sammler, in denen immer ein gewisser Neid mitschwang.

»Aber sagen Sie«, fuhr sie fort, »wo haben Sie den Picasso dort links, neben dem Severini, her?«

»Sind Sie sicher, daß das ein Picasso ist?«

Donna war der verschlagene Unterton der Frage nicht entgangen. »Darauf würde ich jede Wette eingehen. Ich habe ihn mir doch gerade angeschaut.«

»Würden Sie wirklich darauf wetten?«

»Ich meine damit, daß ich ganz sicher bin, daß das ein Picasso ist. Aber ich würde nicht mit Ihnen wetten. Wie könnte ich mich denn mit meinem Gastgeber auf eine Wette einlassen, von der ich im voraus weiß, daß ich sie gewinnen werde? Das wäre doch sehr unhöflich.«

»Gibt es noch andere Gründe, warum Sie nicht wetten wollen?«

»Na ja, was Wetten anbelangt, kann ich wohl kaum mit Ihnen mithalten, Gus.« Donna wurde rot, als sie merkte, daß sie seiner Aufforderung »Nennen Sie mich doch Gus« tatsächlich nachgekommen war.

Himmelschwanz schien zu aufgeregt zu sein, um darauf zu achten. Sein Blick schweifte durch das Zimmer. »Sehen Sie die bemalte Teekanne dort drüben, neben den Holzblumen?« Er zeigte auf einen der Plexiglaswürfel im Zimmer. » Wissen Sie, von wem die sind?«

Donna hatte den gönnerhaften Unterton der Frage sehr wohl bemerkt. Sie wünschte, sie hätte Himmelschwanz in seine Schranken weisen können. »Nein«, gab sie zu, »das weiß ich nicht.«

»Was gefällt Ihnen besser?«

»Die Teekanne«, sagte sie. »Die ist wirklich sehr schön. Wer hat sie gemacht?«

»Balla. Er hat diese Sachen in den zwanziger Jahren gemacht – bemalte Holzblumen, Möbel, Keramik. Also, ich wette mit Ihnen um diese Teekanne, daß das Gemälde auf der linken Seite«, er betonte das zweitletzte Wort, »nicht von Picasso ist. *You wanna bet?*«

Donna lächelte höflich über den plumpen Amerikanismus. »Aber was könnte ich dagegensetzen?« Sie hatte keine Ahnung, wieviel Ballas Keramiken wert waren außer, daß fast alles von ihm wahrscheinlich mindestens einige tausend Dollar kostete. Sie erhob sich vom Sofa; Himmelschwanz hatte so verdammt überzeugt geklungen. Aber nein – der Picasso hing links.

»Genügt Ihnen die Teekanne nicht?« fragte er. »Oder haben Sie es sich anders überlegt?«

»Wenn Sie das in bezug auf den Picasso meinen, nein. Ich habe es mir nicht anders überlegt. Aber ich habe nichts, was ich im Austausch gegen den Balla offerieren könnte.«

»Ich wüßte schon etwas, das Sie mir offerieren könnten – für den unwahrscheinlichen Fall, daß Sie verlieren.« Großer Gott, dachte sie, darum geht es also! Und ich bin hier mutterseelenallein mit ihm, nicht einmal Dienstboten sind im Haus.

Himmelschwanz fuhr jedoch fort: »Ich habe beschlossen, daß es an der Zeit ist, einen kompletten Katalog meiner Sammlung zu erstellen, und zwar am liebsten in Englisch. Ich bin auf der Suche nach jemandem, der diese Aufgabe übernehmen würde. Wie wär's? Wenn Sie die Wette verlieren, dann schreiben Sie den Katalog.«

Das Gesicht, das Donna in diesem Moment machte, hätte von einem Futuristen gemalt werden müssen – von jemandem wie Balla, der von Bewegungsabläufen fasziniert gewesen war; so wie bei seinen Gemälden von dahinrasenden Autos, von denen eines, ein Meisterwerk, hier in diesem Zimmer hing. Donnas anfängliche Angst hatte sich in Erleichterung verwandelt, dann in Verblüffung und zuletzt in Schuldbewußtsein.

»Na schön«, sagte sie nach einer Pause. »Und wer entscheidet, wer gewonnen hat?«

»Sie«, sagte er. »Nehmen Sie das Gemälde einfach ab und sehen Sie sich die Aufkleber auf der Rückseite an. Es muß mindestens ein halbes Dutzend sein – unter anderem einer von Christie's, wo ich es gekauft habe.« Er ließ sich in das Sofa zurücksinken. »Nur zu! Nehmen Sie es vom Haken«, ermunterte er sie.

Für Donna Massingham sah er aus wie einer ihrer Professoren, der ihr bei der Abschlußprüfung eine verzwickte Frage gestellt hatte. Zu beobachten, wie sein gelehrtes Grinsen einem höflichen Lächeln wich, als er ihre Antwort vernahm, war köstlich gewesen.

Gemessenen Schrittes trat sie an die Wand und nahm das linke Gemälde ab. Sie gestattete sich keinerlei Frohlocken. Sie hängte das Gemälde an seinem Draht über zwei Finger, ging zurück zum Sofa und händigte es, mit der Vorderseite nach oben, Himmelschwanz aus.

Er sah es weder an, noch drehte er es um. Er verhielt sich wie ein Pokerspieler, der einen Royal Flush hat und nicht einmal die Karten seines Gegners zu sehen verlangt. »Der Braque kann einen täuschen«, begann er in tröstendem Ton.

»Eigentlich nicht«, erwiderte Donna. Sie hob den Deckel der Balla-Teekanne und spähte hinein. »Sie ist doch noch nie benutzt worden, oder?«

Noblesse Oblige

Sybil Stirling war nicht zu einer Prüfung aufgelegt, doch genau das stand ihr bevor. Arturo war der erste Mann, der zu ihr gezogen war, zumindest der erste, den sie ihren Eltern gegenüber erwähnt hatte. Hätte sie Arturo vorbereiten sollen? Ihr war es klüger erschienen, es nicht zu tun; er ging sonst womöglich in die Defensive, und zwar aggressiv.

»*Mi amor*«, hatte sie begonnen. Sie hatte nie das R rollen gelernt, doch sie wußte, daß er es mochte, von ihr, der wohlgeratenen Tochter einer wohlanständigen Familie, mit spanischen Koseworten bedacht zu werden. »Meine Eltern sind zu einem Bankiers-Kongreß hier. Ich habe Theaterkarten besorgt ...«

»Für was?« Die Unterbrechung war typisch für Arturo Flores. Obwohl er aufgehört hatte, im Büro des Staatsanwalts zu arbeiten, benahm er sich gelegentlich noch immer wie ein Prozeßanwalt.

»*Bernarda Albas Haus*. Ich weiß, daß du Lorca magst. Es ist die Fassung von Tom Stoppard.«

Der junge Mann lächelte noch immer. »Werden deine Eltern es auch mögen?«

Sybil zuckte die Achseln. »Das wird sich herausstellen. Aber ich weiß, daß sie sich darauf freuen, dich kennenzulernen. Was hältst du davon, vorher im St. Honoré zu essen? Das war früher das Lieblingsrestaurant meines Vaters, bevor sie in den Osten gezogen sind. Das Lokal ist zwar ziemlich spießig, aber das Essen ist erstklassig.«

»Und total überteuert«, hatte Arturo hinzugefügt.

»Keine Angst, mein Vater übernimmt immer die Rechnung. Du weißt doch, daß er der Präsident der Bank ist. Bist du denn schon im St. Honoré gewesen?«

»Ich bin mal von jemand mitgenommen worden, der mir imponieren wollte.«

»Und hatte er Erfolg?« fragte sie kokett.

»Nein, das hatte sie nicht«, war alles, was er sagte.

Sybil Stirling besaß eine umfangreiche Garderobe, wie es sich für eine junge Architektin mit stattlichem Einkommen geziemte. Ein letzter prüfender Blick in ihren Ganzfigurspiegel überzeugte Sybil, daß dies die korrekte Kleidung für die Vermittlerrolle war, die sie zu spielen gedachte: nichts Auffälliges, nur untertriebene konservative Eleganz. Außerdem schien es genau das richtige Ensemble für das St. Honoré zu sein, bis hin zum Hermès-Tuch. Als sie das Schlafzimmer verließ, fragte sie sich, was Arturo wohl anhatte.

Da sie unbewußt ein für ein Vorstellungsgespräch geeignetes Komplet gewählt hatte, war sie auf das, was sie antraf, nicht gefaßt. In seinem champagnerfarbenen Leinenanzug, dem offenen weißen Seidenhemd und dem gelbbraunen Krawattenschal hätte er im Film die Rolle des feurigen südländischen Liebhabers übernehmen können.

»*Amor*, du siehst hinreißend aus ...« begann sie, weil es der Wahrheit entsprach. Er war drei Zentimeter kleiner als Sybil, aber sie liebte seinen straffen Körper und seinen federnden Gang, sein aggressives Selbstbewußtsein. Der sorgfältig gestutzte schwarze Bart gab ihm eine verführerisch dämonische Note.

»Aber?« Er ging mit seinem Boxerschritt auf sie zu und schob sanft die linke Hand unter ihr Kinn.

»Nichts aber, Arturo. Nur daß ...«

»... das nicht das richtige ›Kohs-tühm‹ für das St. Honoré ist?«

Ihr Lachen war leicht gequält. »*Le costume* ist schon in Ordnung. Aber was ist mit *la cravate?*«

»*No te preocupas, muchacha*«, erwiderte er und küßte sie.

Mr. und Mrs. Alan B. Stirling III. saßen an einem Eck-tisch mit Blick auf den Eingang. Man hatte ihnen den besten Platz im Restaurant angeboten: Sie sahen ganz genau wie das Publikum aus, auf das man im St. Honoré Wert legte. Mrs. Stirling trug ein klassisches schwarzes Chanel-Kostüm – ein echtes, gekauft bei Bonwit-Teller –, eine einreihige Perlenkette und sehr wenig Make-up. In jungen Jahren mußte sie eine auf-fallende Frau gewesen sein, und selbst jetzt, da sie auf die Sechzig zuging, war nichts Matronenhaftes an ih-rem hohen, schlanken Wuchs, ihrer weichen Haut, ih-rem hellbraunen Haar und den dicken geraden Au-genbrauen, die ihren Augen einen orientalischen Anflug gaben.

Der Oberkellner beugte sich gerade eifrig über die ta-dellos nadelgestreifte Schulter ihres Mannes; er redete ihn mit Namen an. Alan Stirling erwartete zwar derarti-ge Aufmerksamkeiten, freute sich aber trotzdem dar-über. Der Gesichtsausdruck des Bankiers änderte sich jedoch merklich, als er Sybil erblickte, seine einzige Tochter, die – so kam es ihm jedenfalls vor – einen bärti-gen Rudolph Valentino im Westentaschenformat über-ragte, der direkt auf ihren Tisch zusteuerte. Ein Kellner versuchte das junge Paar aufzuhalten, doch Arturo, den Arm unter Sybils Ellbogen, führte sie geradezu im Tangoschritt an den Tisch, bevor der Kellner diesem besonders schamlosen Verletzer der Kleidervorschriften des Restaurants den Weg abschneiden konnte.

»Mrs. Stirling, ich bin Arturo Flores.« Arturo konnte seinen Namen auf zweierlei Weise aussprechen: Dieses Mal entschied er sich für das besonders lange Rollen des R. »Ich habe mich sehr auf dieses Essen gefreut«, sagte er und küßte ihre Hand. Er ging um den völlig verblüfften Oberkellner herum und richtete das Wort an ihren Mann: »Es ist sehr freundlich von Ihnen, mit uns ins St. Honoré und ins Theater zu gehen. Ich hoffe, Sie mögen Lorca.«

Der Kellner und der Oberkellner gaben sich stillschweigend geschlagen. Sybil war die einzige, die die Strategie, die damit verbunden war, die beiden Krawattenkontrolleure außer Gerecht zu setzen, und die subtile Ironie in Arturos Verhalten gegenüber ihren Eltern voll und ganz erfaßte. Arturo war weder der Typ, der Damen die Hand küßte, noch war er gewöhnlich älteren Männern gegenüber ehrerbietig, vor allem dann nicht, wenn er sich prüfenden anglo-amerikanischen Blicken ausgesetzt glaubte. Er hatte noch immer einen leichten Minderwertigkeitskomplex wegen seiner mexikanischen Abstammung, den weder vier Jahre an der Universität von Kalifornien noch die juristische Fakultät in Yale hatten beseitigen können. Arturo vergaß nie, daß er der einzige Flores in seiner engeren Familie war, der jemals studiert hatte.

Sybil wollte keinen Fechtkampf und war zu unabhängig, um die Billigung ihrer Eltern zu suchen. Sie war schon vor längerer Zeit zu dem Schluß gekommen, daß Arturo Flores ihr in jeder Hinsicht zusagte. Sie wußte, daß ihre Mutter ihr Urteil respektierte und sie bei jeglicher Wahl, die Männer betraf, unterstützen würde. Bei ihrem Vater war sie sich weniger sicher: Jeder neue Verehrer mußte verhört, getestet und eingeschätzt werden.

Diesmal gab es jedoch zwei Probleme, vor denen sie noch nie gestanden hatte. Arturo war zu ihr gezogen, nicht sie zu ihm. Würde ihr Vater vielleicht denken, daß dieser Mann auf Kosten der Tochter eines wohlhabenden Bankiers lebte? Das andere war sein Name. Ihr Vater behauptete, keine Vorurteile zu haben, und in seiner Bank hatte er das vermutlich auch nicht; dazu bestand ja wohl auch kaum Anlaß an der Spitze der steilen Pyramide, über die er herrschte. Aber eine potentielle ›Sybil Flores‹?

Mit der Speisekarte in der Hand wandte sich Stirling an Arturo: »Möchten Sie etwas trinken, bevor wir bestellen?« Er wandte sich an den Kellner: »Ich nehme einen Campari mit Soda«, fügte er hinzu, »und meine Frau ebenfalls.«

»Ich auch«, warf Sybil ein in der Hoffnung, daß Arturo den Wink verstehen würde.

Das war nicht der Fall. »Danke, im Augenblick nicht.«

Dieser Punkt geht an Daddy, dachte Sybil, für die das Essen gewissermaßen zu einem Wettkampf geworden war. Er hatte sich größere Mühe gegeben.

Obwohl dies Arturos zweiter Besuch im St. Honoré war, erschrak er auch diesmal über die Preise auf der Speisekarte. Himmel, dachte er, es ist einfach obszön, so viel für eine Mahlzeit auszugeben. Aber *el Papa* kümmert das vermutlich nicht.

Die Frauen trafen ihre Wahl, und der Kellner wandte sich mit einer Verbeugung dem älteren Mann zu. Statt zu bestellen, sagte Alan Stirling zu Arturo: »Und was nehmen Sie, Mr. Flores?«

Ein schöner Zug, daß er ihn nicht Arturo nennt, dachte Sybil und erhöhte den Spielstand auf 2:0 zugunsten ihres Vaters.

Arturo hatte die Speisekarte mehr als soziologische Literatur studiert denn als Vorbereitung auf eine Wahl. Die pompöse Bezeichnung der einzelnen Speisen amüsierte ihn. Als er von seiner Speisekarte aufsah, merkte er, daß ihn zwei Augenpaare studierten. Der Kellner, dessen Bleistift über seinem Block wippte, rümpfte die Nase. Arturo war das egal; er war sicher, daß seine schlipslose Erscheinung der Grund dafür war. Dagegen erkannte er den Ausdruck in Alan Stirlings Gesicht auf Anhieb wieder: der Juraprofessor in Yale, der auf die Antwort auf eine knifflige Frage wartet.

»Ich nehme zunächst die Wildschweinkopf-Terrine mit Pistazien in feinem Senfschaum«, begann er, wobei er jedes Wort langsam und deutlich vorlas. Sybil erstarrte; sie wußte genau, was das zu bedeuten hatte. »Danach nehme ich den Chicoréesalat« – er sprach das Wort übertrieben französisch aus, was ihm einen leichten Tritt unter dem Tisch eintrug –, »aber bringen Sie ihn mit dem Hauptgericht: Ich nehme den Rehrücken mit Rosenkohl.« Der Kellner hatte schon zur zweiten Verbeugung vor Alan Stirling angesetzt, als Arturo fortfuhr: »Haben Sie zufällig Maronenpüree? Maronen passen immer so gut zu Wild, finden Sie nicht auch, Mr. Stirling?« fragte er seinen Nachbarn und bemühte sich, einen erneuten Stupser unter dem Tisch zu ignorieren.

»Ich bin kein großer Freund von Wild«, erwiderte Sybils Vater mit ruhiger Stimme und bestellte Täubchen mit Trüffelbutter. Arturo treibt es zu arg, dachte Sybil und notierte einen weiteren Punkt für ihren Vater.

Der Kellner wollte schon die Speisekarten einsammeln, als er von Stirlings fröhlicher Frage unterbrochen wurde: »Wer hat Lust, zum Dessert ein Soufflé mit mir zu essen? Wir sollten es lieber gleich bestellen, wenn wir rechtzeitig im Theater sein wollen.«

»Ich bestimmt nicht, Alan«, erwiderte seine Frau.

»Ich auch nicht, Daddy«, setzte Sybil hinzu. »Ich habe Süßspeisen aufgegeben. Aber Arturo schließt sich dir sicher an.«

Diesmal war die schuhlose Berührung unter dem Tisch keine Ermahnung, sondern eine Aufforderung. Arturo lächelte Sybil an. Er war bereit, den Wink zu verstehen, aber auf seine Weise. »Ich schließe mich Ihnen gerne an. An was für ein Soufflé hatten Sie denn gedacht, Sir?«

»Das überlasse ich Ihnen«, erwiderte ihr Vater.

»Was für Soufflés haben Sie?« erkundigte sich Arturo beim Kellner.

»Was immer Sie wünschen«, erwiderte der Mann von oben herab. »Schokolade, Erdbeer, Grand Marnier, Maronen …«

Touché, dachte Sybil.

Arturo zögerte, als dächte er über die Auswahl nach. »Ist das alles?« fragte er. »Warum nehmen wir nicht ein Soufflé Harlequin? Was halten Sie davon, Sir?« sagte er zu Sybils Vater gewandt. Ohne ihm Gelegenheit zu einer Antwort zu geben, fuhr er fort: »Ich glaube, es wird Ihnen schmecken, Sir, vorausgesetzt«, er sah zu dem perplexen Kellner auf, »Ihr Küchenchef macht ein gutes Harlequin.« Das letzte Wort wurde mit solchem Elan, in so tadellosem Französisch ausgesprochen, daß weitere Fragen des Kellners im Keime erstickt wurden, und der Mann sich wortlos zurückzog.

Sybil wußte nicht, ob sie lachen oder ihren Schuh anziehen sollte, um besser treten zu können. Die Entscheidung wurde ihr von ihrem Vater abgenommen.

»Was ist ein Soufflé Harlequin?« fragte er mit echter Wißbegierde.

Arturo erkannte seinen Vorteil und beschloß, es nicht zu weit zu treiben. »Es ist leicht zu beschreiben, aber schwer zuzubereiten. Die eine Hälfte ist Grand Marnier und die andere Schokolade. Der Trick dabei ist, die beiden nicht ineinanderlaufen zu lassen. Es sieht aus wie ein Harlekinkostüm, zwei deutlich voneinander getrennte Farben. Und die beiden Geschmacksrichtungen ergänzen sich gegenseitig. Es wird Ihnen bestimmt schmecken, Sir.« Trotz zu vieler ›Sirs‹ erhöhte Sybil den Spielstand auf 3:1.

Alan Stirling lenkte die Aufmerksamkeit des weiter weg stehenden Oberkellners auf sich. »Den Wein wird der Herr hier auswählen«, sagte er, als der Mann an ihrem Tisch ankam. »Wären Sie wohl so gut?«

Das Gespräch verstummte, während Arturo die Weinkarte studierte. Die Stille wurde drückend. Komm schon, *amor*, flehte Sybil im stillen, mach's nicht so spannend. Arturo fand, daß zwei Weine erforderlich waren, um seinen önologischen Sachverstand unter Beweis zu stellen. Der Preis spielt ja keine Rolle, dachte er, schließlich zahlt Sybils Vater. Während er langsam die Seiten umblätterte, war er sich des prüfenden Blickes des Vaters und der herablassenden Nachsicht des Oberkellners voll bewußt. Arturo war zunächst geneigt, kalifornische Weine zu bestellen, doch dann entschied er sich für einen geopolitischen Kompromiß.

»Wir beginnen mit dem Chalone Chardonnay, der 79er Private Reserve.« Im stillen schauderte ihn bei dem Preis. Chalone gehörte zu den kalifornischen Weinkellereien der Spitzenklasse, was besondere Chardonnays betraf, aber der Preis war trotzdem unverschämt. »Zum Hauptgang bringen Sie uns eine Flasche 82er Château Palmer. Und machen Sie sie gleich auf, der Wein sollte einige Zeit atmen können.«

Sybil setzte den Punktestand auf 3:2 fest. Sie hatte alle Nuancen dieser Vorstellung mitbekommen, bis auf zwei: Ihr war weder der wahnwitzige Preis des Palmer bekannt noch die Tatsache, daß 1982 eines der besten Bordeaux-Jahre war.

Die nächste Stunde ließ Sybil alle Befürchtungen vergessen. Sie hatte Arturo stets als vorzüglichen Gesellschafter gekannt, und er enttäuschte sie auch heute nicht. Während des Essens wurde ersichtlich, daß ihr Vater beeindruckt war. Mr. Stirling zuckte mit keiner Wimper, als er erfuhr, daß Arturo Flores nicht etwa in einer renommierten Kanzlei die Leiter zum Unternehmens-Justitiar emporstrebte, sondern Sozius in einer Anwaltspraxis war, die sich auf die Probleme von Landarbeitern, Wanderarbeitern, politischen Immigranten aus Mittelamerika und dergleichen spezialisierte. Sybil war nicht sicher, wer diese Runde gewonnen hatte, aber da sie ihre Entscheidung nicht öffentlich rechtfertigen mußte, glich sie den Punktestand aus.

»Schaut mal!« rief ihr Vater. »Ich glaube, das ist für uns.«

Als Sybil und Arturo sich umdrehten, sahen sie, wie ein Küchenchef mit weißer Mütze, gefolgt von einer Entourage, bestehend aus Oberkellner, Kellner und Hilfskellner, sich dem Tisch mit einem Soufflé näherte, das auf zwei steifen gestärkten Servietten ruhte. »Ihr Soufflé Harlequin, Mr. Stirling«, verkündete der Küchenchef feierlich, während er Sybils Vater das Dessert zur Begutachtung präsentierte. »Sie sind erst der zweite Gast, der das in den fünf Jahren, die ich im St. Honoré bin, bestellt hat.«

»Es sieht wunderbar aus«, erwiderte Stirling, »aber Sie sollten es Mr. Flores zeigen. Er ist derjenige, der es ausgesucht hat.«

Der Küchenchef drehte sich zu dem jüngeren Mann um, den er bisher keines Blickes gewürdigt hatte. Er starrte auf Arturos offenes Hemd.

»Es sieht perfekt aus«, bemerkte Arturo. »Das Baur-au-Lac hätte es nicht besser machen können. Mal sehen, ob es auch so gut schmeckt, wie es aussieht.«

»Das Baur-au-Lac?« Alan Stirling und der Küchenchef hatten die Worte gleichzeitig ausgesprochen. Sybils Vater brach in Gelächter aus, aber für den Küchenchef waren diese Worte offensichtlich ein geheimnisvolles Kennwort.

»Also darum haben Sie Soufflé Harlequin bestellt, Sir. Ich hätte es mir eigentlich denken können. Dort habe ich nämlich gelernt, wie es gemacht wird.« Es war die erste freundliche Bemerkung, die ein Angestellter des St. Honoré an Arturo gerichtet hatte. Auf Sybils heimlicher Punktetabelle war Arturo endlich in Führung gegangen.

»Wo ist das Baur-au-Lac?« Diesmal sprachen Mr. und Mrs. Stirling zur gleichen Zeit, und ausnahmsweise erschallte einmal ungebührlich lautes Lachen in der gedämpften Atmosphäre des Restaurants.

»Das ist ein Hotel in Zürich. Soufflé Harlequin ist dort die Dessert-Spezialität«, verkündete Arturo.

Sybil versuchte erst gar nicht, ihre Überraschung zu verhehlen. »*Amor*, woher um alles in der Welt weißt du das?«

Arturo genoß die Aufmerksamkeit; er hatte den Blick erhascht, den die Stirlings gewechselt hatten, als sie Sybils *amor* vernahmen. »*Chulita*, es gibt eben Dinge über mich, die du nicht weißt. Eines davon ist das Baur-au-Lac.«

Nach dem Kaffee legte der Kellner bezüglich der Person des Gastgebers inzwischen völlig verwirrt die Rechnung diskret auf neutrales Gebiet in der Mitte des Tisches. Fast zehn Minuten vergingen in angeregtem Gespräch, ohne daß einer der beiden Männer auch nur die Hand danach ausstreckte. Allmählich begann sich Arturo Sorgen zu machen: Warum hatte Sybils Vater die Rechnung nicht an sich genommen?

Seine Nervosität legte sich auch nicht, als Sybil zu ihrer Mutter sagte: »Ich bin froh, daß du und Daddy mit uns essen gegangen seid. Aber wir sollten lieber noch in den Waschraum gehen, bevor wir aufbrechen. Im Theater ist bestimmt eine lange Schlange.«

Madre mia, dachte Arturo. Bleibt die Rechnung etwa an mir hängen? Ein schneller Überschlag machte ihm klar, daß sich allein das Essen auf über dreihundert Dollar beliefen, und das ohne die Getränke und das Trinkgeld. Er wußte ganz genau, wieviel der Chalone und der Palmer kosteten – und zwar als einziger von den vieren. Langsam dämmerte es ihm, daß er womöglich auf dem teuersten Essen seines Lebens sitzenblieb.

Seine Berechnungen wurden unterbrochen, als sich Sybils Vater von seinem Stuhl erhob. »Arturo«, sagte er – der junge Mann war derart mit Geld beschäftigt, daß ihm diese Geste der Intimität, der Einbeziehung in die Familie entging –, »ich will nur noch die Toilette aufsuchen, bevor wir ins Theater gehen.«

Sobald Stirling gegangen war, sah sich Arturo verstohlen um. Ohne den Kopf zu bewegen, hob er das Blatt Papier, das mit der Vorderseite nach unten im Niemandsland lag, leicht an, so wie ein Pokerspieler die letzte ausgegebene Karte prüft, und ließ es schaudernd wieder fallen. Ach, zum Teufel, dachte er, ich kann *el padre* ja mal testen. Rasch stellte er einen Scheck über 695,76 Dollar aus. Vor lauter Aufregung verrechnete er sich sogar beim Trinkgeld, obwohl er Zeit hatte sich zu fragen, woher wohl die merkwürdigen sechsundsiebzig Cent kamen. Er winkte dem Kellner, der die Szene aus der Ferne beobachtete. »Hier ist ein Scheck«, sagte Arturo mit ungewohnt einschmeichelnder Stimme, »aber sagen Sie nichts davon, daß ich das Essen schon bezahlt habe.«

Der Kellner nickte, ohne den gefalteten Scheck auch nur anzusehen. Wenn Arturo nicht so sehr mit sich selbst beschäftigt gewesen wäre, hätte er das leise Lächeln vielleicht bemerkt. Aber er hätte nie den Grund dafür erraten. Drei Minuten zuvor hatte der Kellner, gleich hinter der für zum Restaurant, von Alan Stirling sieben knisternde Einhundert-Dollar-Noten entgegengenommen, verbunden mit der Anweisung: »Der Rest ist für Sie, aber sagen Sie nichts davon, daß ich die Rechnung bezahlt habe.«

Arturo Flores war kein geiziger Mensch. Im Rahmen der ziemlich engen Grenzen seines Einkommens konnte man ihn sogar großzügig nennen. Aber knapp 700 Dollar für ein Essen auszugeben bedrückte ihn. Einige seiner Klienten verdienten das nicht einmal im Monat. Als Sybil mit ihrer Mutter zurückkam, war sie überrascht, einen düsteren Arturo vorzufinden, der das Kinn in die Hand gestützt, ins Leere starrte. Soweit sie feststellen konnte, war die auf dem Tisch liegende Rechnung nicht angerührt worden. Kurz darauf gesellte sich ihr Vater wieder zu ihnen und verblüffte alle prompt mit einem Witz. Sybil war verwirrt. Ihr Vater war nicht der Typ, der Witze erzählte. Wollte er Arturo auf diese Weise seine Befangenheit nehmen? Wenn dem so war, dann hatte das Verhalten ihres Vaters die entgegengesetzte Wirkung: Arturos Lachen klang eindeutig gequält. Unterdessen schien die Rechnung mit der Vorderseite nach unten auf das Tablett geklebt zu sein, auf dem sie ruhte, als wäre sie für beide Männer unsichtbar. Sybil schaute auf die Uhr. In einer Minute mußten sie ins Theater aufbrechen. Ein Blick auf ihre Mutter zeigte ihr, daß auch sie die einsame, unberührte Rechnung bemerkt hatte. Plötzlich wandte sich Arturo an ihre Eltern:

»Das Theater liegt nur zehn Minuten von hier, und es geht immer bergab. Wenn Sie zu Fuß gehen möchten, sollten wir uns lieber auf den Weg machen.«

»Eine erstklassige Idee«, rief der Vater aus. »Ein Verdauungsspaziergang ist genau das Richtige nach dem Soufflé. Marian läuft sehr gerne, also gehen wir.« Seine Frau starrte auf die Rechnung und dann auf ihre Tochter, die den fragenden Blick mit einer diskreten Bewegung in Richtung auf den Stein des Anstoßes erwiderte, der nun einsam auf dem Tisch lag.

Arturo trat hinter Sybils Stuhl. »Gehen wir«, sagte er mit vernehmbarer Ungeduld. Marian Stirling, sichtlich irritiert, griff nach der Rechnung, doch der Kellner hinderte sie daran. »Gestatten Sie, gnädige Frau«, sagte er und nahm ihr geschickt das gefaltete Blatt Papier aus der Hand, »das Essen geht auf Kosten des Hauses.« An Arturo gewandt setzte er hinzu: »Sie tragen da einen sehr eleganten Krawattenschal, Sir.«

Castors Dilemma

Professor I. Castor wußte ganz genau, daß er für den Nobelpreis in Frage kam – ein Sachverhalt, der ihn in den letzten Jahren eigentlich ständig beschäftigt hatte. Er war sich darüber im klaren, daß der Zeitpunkt ausschlaggebend war: Wenn er den Nobelpreis bekommen wollte, dann mußte es in den nächsten drei oder allerhöchstens vier Jahren geschehen, während sein Arbeitsgebiet noch brandaktuell war.

In der Krebsforschung ist eine allgemeingültige Theorie der Tumorentstehung der Mount Everest. Nur Superstars besteigen den Gipfel, und I. Castor war ein solcher Superstar. Eines Tages hatte er eine sensationelle Eingebung bezüglich der Tumorgenese – eine Eingebung, wie sie einem Wissenschaftler im ganzen Leben nur einmal oder, wenn er sagenhaftes Glück hat, zweimal zuteil wird, wie Watson und Crick mit ihrer Doppelhelix. Noch bedeutsamer war, daß ihm auch ein Versuch einfiel – ein kühner Weg auf seinen Everest –, der seine Theorie unzweideutig in eine Tatsache verwandeln würde.

Castor erinnerte sich noch an den nur wenige Monate zurückliegenden Tag, an dem er aus dem nicht enden wollenden Nebel verworfener Theorien in das plötzliche Sonnenlicht einer Eingebung getreten war, von der er intuitiv spürte, daß sie richtig war. Alles, was er brauchte, war ein einziger erfolgreicher Versuch, und er hatte auch den Mann, ihn durchzuführen: Jeremiah P. Stafford, der erst kurz zuvor in Castors Labor promoviert hatte. Gewöhnlich war Castor seinem Musterschüler gegenüber ungezwungen und zugänglich. Diesmal jedoch sah der Professor ihn nicht an, sondern an ihm vorbei – auf die Tafel hinter Staffords Rücken.

»Ich habe Sie noch nie gebeten, eine Versuchsreihe mittendrin abzubrechen, doch nun mach ich das.« Castor sah den jungen Mann erwartungsvoll an, doch Stafford gab keine Antwort. Für Stafford war es gewissermaßen ein Sport geworden, bei wissenschaftlichen Zwiegesprächen dieser Art keine Reaktion zu zeigen. So sehr er seinen Doktorvater auch verehrte, glaubte er sich doch ständig in einem subtilen Machtkampf zu befinden, in dem er ein privates Territorium zu verteidigen hatte, dessen Betreten Castor nicht gestattet war.

»Außerdem«, Castors Augen hatten wieder umherzuwandern begonnen, »möchte ich nicht, daß Sie mit irgend jemandem über das sprechen, was ich Ihnen sagen werde.« Er warf Stafford einen raschen Blick zu. Diesmal hatte Castor einen Punkt gewonnen: Die Überraschung des jungen Mannes war nur allzu offensichtlich. Obwohl Castor ungeheuer ehrgeizig war, sprach er sehr gerne über seine Ideen mit Kollegen, Mitarbeitern und Studenten und machte sich nie Sorgen, daß ihm jemand zuvorkommen könnte. Die Offenheit des Professors war legendär. Kein Wunder, daß sich helle Doktoranden um die wenigen freien Plätze in seinem Labor rissen. Doch dieses Mal hatte Castor den Mund gehalten. Er hatte seine neue Theorie weder in seinem wöchentlich stattfindenden Seminar zur Sprache gebracht, noch Karl Krauss angerufen, den Krebspapst in Harvard, nach dem sogar ein Sarkom benannt war. Er hatte sie nur einem einzigen

Menschen anvertraut, und Stafford wußte die Bedeutung dieses Kompliments zu würdigen.

Freudig erregt griff Stafford zu Papier und Bleistift und machte sich Notizen, während er der Erläuterung des Versuchs und dem Angriffsplan lauschte. Castor war der Meinung, daß der Versuch in knapp drei Monaten zu schaffen sein müßte.

»Jerry, Sie verstehen doch, warum ich diese Sache geheimhalten will? Hier geht es nicht um einen gewöhnlichen Versuch. Dieser Versuch wird in alle Lehrbücher eingehen; auf so etwas stößt man nur einmal im Leben. Überlegen Sie mal, was für ein Glück Sie haben: Ich habe über fünfzig Jahre gebraucht, Sie dagegen ...«

Castors Stimme verlor sich, während er seinen jungen Mitarbeiter mit Zuneigung und einem Anflug von Neid betrachtete. Stafford war sein Lieblingsschüler und verdiente daher diese Chance. Und was für eine Chance das war! Wenn doch ihm im Alter von sechsundzwanzig Jahren eine solche Gelegenheit geboten worden wäre!

Als Castor weitersprach, hatte seine Stimme wieder ihren gewohnten Klang. »Jerry, Sie wissen, was hier auf dem Spiel steht. Machen wir uns an die Arbeit!«

In weniger als zwei Monaten lieferte Stafford die erwarteten Ergebnisse. Castor frohlockte. Er blieb die ganze Nacht auf, um den ersten Entwurf der Kurzmitteilung zu schreiben, der in *Nature* veröffentlicht werden sollte, der meistgelesenen Fachzeitschrift seines Gebietes. Die Autoren des Artikels waren I. Castor und J. P. Stafford. Laut Castor war diese Reihenfolge rein alphabetisch, doch einer der Zyniker im Labor hatte laut darüber nachgedacht, warum es in der

Gruppe nie einen Allen oder Brown gab. Einmal hatten sie einen Postdoc aus Prag gehabt, der Czerny hieß, aber das war die nächste alphabetische Nähe zu Castor, die je vorgekommen war.

»Eine allgemeingültige Theorie der Tumorgenese« wurde umgehend zur Veröffentlichung angenommen. Als der *Nature*-Artikel erschien, war selbst Castor von der Anzahl der Sonderdruck-Anforderungen überwältigt. Der Kollege, den er am meisten schätzte – Karl Krauss aus Harvard –, rief an und sagte, daß diese Abhandlung in Stockholm auf keinen Fall unbemerkt bleiben werde.

»I. C., wenn ich ein neidischer Mensch wäre, dann wäre ich jetzt giftgrün. Aber Sie wissen ja, daß das nicht meine Art ist.« Sein leises Lachen klang fast überzeugend. »Wenn ich schon nicht auf diesen Versuch kommen konnte, dann freut es mich wenigstens, daß Sie derjenige waren.«

Castor spürte, wie ihm eine warme Röte ins Gesicht stieg. Nicht etwa aus Verlegenheit, sondern aus purer Freude. Kraussens Harvard war eine Stätte, die Nobelpreisträger nach Dutzenden zählte. An Castors Universität im Mittelwesten war dagegen erst ein einziger Nobelpreis gegangen, und das war in den dreißiger Jahren gewesen. Fünf Jahrzehnte später den Nobelpreis zu bekommen hätte I. C. in eine Klasse für sich aufsteigen lassen. Das konnte einem in Harvard oder Berkeley nicht passieren!

In Augenblicken wie diesem verlangt die wissenschaftliche Etikette Bescheidenheit. Doch der sittsam zu Boden gesenkte Blick, die abwehrende Handbewegung wirken nur allzuoft geheuchelt, wenn man sie sieht. Das Telephon ist da gütiger.

Castor zeigte sich der Lage gewachsen. »Karl, ich wußte, daß es ein guter Einfall war« – *Gut? Das war der tollste Einfall, den ich je hatte!* –, »aber ich hatte auch Glück. Ich habe Ihnen ja schon von Jeremiah Stafford erzählt. Der Bursche hat goldene Hände – so etwas von Labortechnik haben Sie noch nicht erlebt. Ich weiß nicht, ob ein anderer das geschafft hätte.«

Drei Monate lang sonnte sich Castor auf dem Gipfel seines Everests – bei Vorlesungen, Seminaren und Symposien –, wo er »unseren« Versuch schilderte. War das ein Pluralis majestatis oder ein echter Plural? Das kann man nie wissen bei einem Wissenschaftler, dem schon während des Studiums beigebracht wird, niemals die erste Person Singular zu verwenden, selbst wenn es gar keine Mitarbeiter gibt.

Eines Nachmittags rief Karl Kraus an und sagte, daß einer seiner besten Leute (»Sie erinnern sich doch an ihn, I. C.? Das ist mein Stafford«) nicht imstande gewesen sei, Staffords Versuch zu wiederholen. Ein solcher Fehlschlag war in ihrem Fach keine Seltenheit. Schließlich hatten Castor und Stafford nur einen Vorausbericht veröffentlicht, ohne detailliert auf den Versuch einzugehen. Castor bat Stafford, eine exakte Darstellung der Laborprotokolle anzufertigen, die umgehend nach Harvard geschickt werden sollte. Stafford war einverstanden.

Zwei Tage später rief Stafford, der seit Jahren keinen Tag gefehlt hatte, Castors Sekretärin an – statt den Professor selbst.

»Stephanie? Bitte sagen Sie I. C., daß ich Grippe habe. Mir ist so elend, daß ich ihm nicht einmal auseinandersetzen möchte, warum ich den Bericht für Krauss jetzt nicht machen kann.«

Die Nachricht verstimmte Castor. Stafford, der auf der Stelle Gefallen an der Achtzig-Stunden-Woche in Castors Labor gefunden hatte; der das Wort »Urlaub« mit einer Verachtung aussprach, die aus wissenschaftlichem Machismo hervorging; den Castor immer im Labor angetroffen hatte – dieser Stafford mußte ausgerechnet *jetzt* krank werden. Castors Verstimmung wuchs sich zu offenem Ärger aus, als man ihm einige Tage später mitteilte, Stafford habe aus Florida angerufen: Sein Großvater habe einen Herzanfall erlitten. »Wem zum Teufel ist dieser Mensch eigentlich Loyalität schuldig?« dachte er. »Seinem Großvater oder dem Laborprojekt?«

Eine derartige Taktlosigkeit paßte überhaupt nicht zu Castor, aber er war nun einmal ziemlich unter Druck, denn einen Krauss ließ man nicht warten. Dieser Professor in Harvard war eine Klasse für sich, und insbesondere dann, wenn die Bestätigung eines ausschlaggebenden Versuchs auf dem Spiel stand. Castor entschied sich für ein nicht ganz sauberes, doch simples Schnellverfahren: Er wollte einfach die entsprechenden Seiten in Staffords Laborbuch photokopieren und mit einem kurzen Begleitschreiben nach Harvard schicken.

Es war nichts Ungehöriges daran, eine Kopie von Staffords Laborbuch anzufertigen. Im Gegensatz zu privaten Tagebüchern ist das Journal eines Wissenschaftlers dazu bestimmt, anderen auf Verlangen zur Einsicht vorgelegt zu werden. Journale dieser Art sind unweigerlich fest gebunden und vorpaginiert, und alle Eintragungen werden chronologisch vorgenommen. Wie alle großen Expeditionsleiter war Castor fanatisch auf jede Kleinigkeit bedacht. Alles mußte mit Kopiertinte in die Laborbücher eingetragen werden, nicht mit Bleistift; selbst triviale Berechnungen mußten im Laborbuch festgehalten werden und durften nicht irgendwo auf losen Zetteln ausgeführt werden. Jeder neue Student bekam die gleiche Litanei zu hören: »Man kann nie zuviel, aber man kann zuwenig in sein Laborbuch eintragen. Man weiß nie, welche Details sich als entscheidend erweisen.« Wenn die Studenten Castors Labor verließen, blieben die Laborbücher zurück.

Was Castor in Staffords Journal entdeckte, beunruhigte ihn. Das Versuchsprotokoll war zwar vorhanden, aber die konkreten Einzelheiten schienen äußerst dürftig zu sein. Nach einigen Anstrengungen gelang es ihm, Stafford telephonisch in Florida zu erreichen.

»Hoffentlich geht es Ihrem Großvater wieder besser.« Castor ließ keine Möglichkeit für eine Antwort, weil er es nicht als Frage gemeint hatte. Er fuhr fort: »Jerry, Sie wissen ja, daß Krauss einen seiner Postdocs *unser* Experiment wiederholen läßt. Sie wissen, daß sie damit Schwierigkeiten haben und daß ich Krauss nicht noch länger auf die näheren Einzelheiten warten lassen kann. Ich dachte, ich schicke ihm einfach Photokopien Ihres Laborjournals ...«

Als Antwort bekam Castor nur ein dünnes »Ja?« zu hören.

»Ich hatte mir Ihr Laborjournal seit Monaten nicht mehr angesehen ...« Castor konnte nicht weitersprechen, weil Stafford prompt zum Angriff übergegangen war.

»Dazu hatten Sie auch gar keinen Grund. Abgesehen von unserem letzten *Nature*-Artikel« – in diesem Fall wies das »unserem« keinerlei Zweideutigkeit auf – »hatten Sie mich schließlich immer gebeten, den ersten

Entwurf unserer gemeinsamen Manuskripte zu schreiben.«

»Das weiß ich ja.« Jeder vorwurfsvolle Beiklang, den Castors Ton zuvor aufgewiesen hatte, war nun verschwunden. Im Gegensatz zu anderen Superstars, die die Entwürfe für Manuskripte, die als Mitautoren ihren Namen trugen, so gut wie nie selbst schrieben, hatte Castor bis vor kurzem den ersten Entwurf immer selbst verfaßt. Aber sogar er, I. Castor – der Superstar, der der Verlockung großer Forschungsgruppen widerstanden hatte, um Zeit für gewissenhafte experimentelle Bestätigungen und Veröffentlichungen zu haben –, selbst er hatte in den letzten Jahren bei Jeremiah Stafford eine Ausnahme gemacht. Diese Sonderbehandlung war nur eines von mehreren subtilen Anzeichen, daß Stafford als Castors Nachfolger aufgebaut wurde. Außer Stafford nannte keiner im Labor Castor in dessen Beisein »I. C.«. Es war Usus, »Professor Castor« oder, bei Gelegenheit, »Prof« zu sagen. Nur Außenstehende oder Berufskollegen sprachen Castor mit seinen Initialen an. Niemand erinnerte sich, wann Stafford diesem exklusiven Club beigetreten war. Nicht, daß er ausdrücklich dazu aufgefordert worden wäre; eines Tages war er einfach drin.

Castor klang inzwischen kleinlaut. »Jerry, ich kann nicht einfach Photokopien Ihrer Laborbuchseiten an Krauss schicken. Dazu fehlen einfach zu viele Details. Sie erwähnen nicht einmal, welchen Puffer Sie in der ursprünglichen Extraktion benutzt haben; Sie geben nicht an, welches Trägermaterial sich bei der HPLC-Trennung in den Säulen des Hochdruckflüssigkeitschromatographen befand; Sie sagen nicht, woher die Arginase kam …«

Stafford unterbrach ihn gebieterisch. »Ich weiß, I. C., aber das sind doch Lappalien. Reiner Routinekram. Sie wissen doch, unter was für einem Zeitdruck ich gearbeitet habe. Was ich da« – die erste Person Singular war hörbar unterstrichen – »in nicht einmal drei Monaten zustande gebracht habe, das soll mir erst mal einer nachmachen. Vermutlich war ich bei meinen Laborbuch-Eintragungen nur ein bißchen schlampig. Lassen Sie mich die fehlenden Einzelheiten doch einfach nachtragen. Ich bin bis Mittwoch wieder zurück, und am Freitagmorgen haben Sie alles auf dem Schreibtisch liegen.«

Genau das wollte Castor hören. Der Brief an Krauss ging in der darauffolgenden Woche zur Post.

Einen knappen Monat später rief Krauss an und sagte, daß sein Mitarbeiter, ein erfahrener Enzymologe, noch immer nicht imstande gewesen sei, den entscheidenden Versuch zu reproduzieren.

Castors Arzt hatte ihn darauf hingewiesen, daß er gut daran täte, stets Nitroglyzerintabletten bei sich zu haben für den Fall, daß sich sein Herz wieder einmal bemerkbar machen sollte. Nun griff Castor nach seiner Pillendose, bevor er die erwartete Antwort gab: »Karl, ich werde das Experiment persönlich mit Stafford noch einmal machen. Danach lade ich Ihren Mann ein, in mein Labor zu kommen und es mit uns zu wiederholen.«

Krauss gab zu, daß dies die vernünftigste Lösung sei; er versicherte I. C., daß die Gruppe in Harvard bis auf weiteres nichts über ihren Mißerfolg bei der Wiederholung des »Castor-Stafford-Versuchs«, wie er inzwischen genannt wurde, veröffentlichen würde. Einen Versuch oder eine Theorie nach den ursprünglichen Autoren zu benennen ist in der Wissenschaft der Ritterschlag. Aber sie wird nur selten ohne eine erfolgreiche unabhängige Verifizierung verliehen, und die hatte Krauss liefern wollen.

Castor ließ umgehend Stafford kommen und machte ihn mit der Tatsache bekannt, daß der Versuch in Kraussens Labor nicht wiederholt werden konnte. Er vermutete, daß eine unbedeutende, aber entscheidende Variable, die von ihnen nicht erkannt worden war, die Ursache dieses Mißerfolgs war. Er forderte Stafford auf, den Versuch mit ihm zusammen in seinem Privatlabor durchzuführen. Der vorübergehende Umzug des jungen Mannes in das Labor des Professors löste unter einigen Mitgliedern der Forschungsgruppe erhebliches Gerede und sogar Schadenfreude aus. Schließlich war Kraussens anfänglicher Mißerfolg, den in dem *Nature*-Artikel umrissenen Versuch zu wiederholen, nicht geheimgehalten worden. Da noch nie ein Student oder Forschungsstipendiat aufgefordert worden war, in Castors eigenem Labor zu arbeiten, war es nicht gerade eine Beförderung, daß der Liebling des Professors nun angewiesen worden war, seinen sensationellen Versuch unter dem wachsamen Auge seines Herrn und Meisters zu wiederholen.

Die Wochen vergingen schnell und ohne Schwierigkeiten. Das hatte natürlich nicht viel zu bedeuten, weil alles von der abschließenden Enzym-Analyse abhing, die für den darauffolgenden Montag angesetzt war. Als Castor am besagten Morgen nervös und besorgt eintraf, fand er einen beeindruckend zuversichtlichen und selbstbewußten Stafford vor. Einige Stunden später war Castor bester Stimmung. Die Analyse war wie erwartet ausgefallen; der Versuch hatte tatsächlich geklappt. Der Professor gab die Ergebnisse auf einer eigens einberufenen Versammlung der Gruppe bekannt und beglückwünschte seinen liebsten Mitarbeiter. Außerdem benutzte er die Gelegenheit, um die Bedeutung eines sorgfältig geführten Laborbuchs zu predigen.

Als Castor wieder in sein Büro kam, fand er einen versiegelten Umschlag vor, auf dem schlicht »Professor Castor – VERTRAULICH« stand. Die Mitteilung, mit der Maschine geschrieben und nicht unterzeichnet, bestand nur aus einem einzigen Satz: *Warum war Dr. Stafford am Sonntagabend in Ihrem Privatlabor?*

Es spielte kaum eine Rolle, ob ein unbegründeter Verdacht, hervorgerufen durch Konkurrenzneid, oder etwas Ernsteres hinter dem anonymen Brief steckte. Castor war in einem ungeheuren Dilemma. Die Korrektheit hätte es geboten, Stafford kommen zu lassen, ihn mit der Anschuldigung zu konfrontieren, das Experiment ohne Stafford zu wiederholen und, falls es mißlang, Krauss über das Vorgefallene zu informieren. Außerdem würde er dann auch noch die erwartete öffentliche Buße tun müssen, nämlich einen Brief in *Nature* veröffentlichen, in dem er den »Castor-Stafford-Versuch« zurückzog. Die Standardformel am Schluß würde lauten: »Bis der experimentelle Nachweis erbracht ist«. Aber jedermann würde wissen, daß vermutlich Betrug im Spiel war, falls dieser Brief nicht auch Staffords Namen enthielt. Falls Castor dieses härene Hemd anlegte, dann war seine Tumorgenese-Theorie schlicht eine weitere Theorie aus dem Gebiet der Krebsforschung, die auf den ständig wachsenden Haufen ad acta gelegter Ideen geworfen wurde. Und doch spürte er es in den Knochen, daß seine Theorie richtig sein mußte. Schon vor diesem Desaster hatte sich Castor einen zweiten Versuch ausgedacht, der eine unabhängige Verifizierung liefern konnte. Er war zwar riskant, aber Castor fand, daß nun zuviel auf dem Spiel stand – nicht zuletzt ein möglicher Nobelpreis.

Castor beschloß, nichts zu sagen – weder zu Stafford noch zu Krauss. Solange er nichts sagte, glaubte er, von einem möglichen Skandal unbesudelt zu bleiben. Statt also kostbare Wochen darauf zu verschwenden, sich noch einmal um eine Wiederholung von Staffords Versuch zu bemühen – indem er ihn als »Staffords« betrachtete, hatte er im Geiste bereits sein Urteil über die Sache gesprochen –, machte er sich an den zweiten Versuch, über den er noch mit keiner Menschenseele gesprochen hatte.

Castors plötzliche Nichtverfügbarkeit verblüffte seine Mitarbeiter, und keinen mehr als Stafford. In der Vergangenheit waren die meisten Studenten, und natürlich Stafford, in alles eingeweiht, was der Professor eigenhändig machte. Diesmal stieß sogar Staffords Versuch, Castor in seinem Labor zu sprechen, auf eine völlig unerwartete Reaktion der Sekretärin, die Stafford normalerweise einfach hineinwinkte: »Tut mir leid, Jerry, aber Professor Castor arbeitet an einem äußerst wichtigen Versuch. Ich kann ihm höchstens etwas ausrichten.«

Stafford wurde fast verrückt. Er hatte immer freien Zugang zum Labor des Professors gehabt; nun starrte er auf eine verriegelte Tür. Dieser Ausschluß von Castors Liebling ließ den Laborklatsch blühen. Staffords Besorgnis wurde unerträglich; er dachte daran, einen Brief zu schreiben, war jedoch nicht sicher, was er sagen sollte. Eine Erklärung verlangen? Eine Erklärung abgeben?

Am Ende war weder ein Brief noch sonst etwas erforderlich. Der zweite Versuch – Castors unabhängiger Nachweis seiner Tumorgenese-Theorie – klappte. Castors früherer Optimismus bezüglich der Lebensfähigkeit seines Geistesprodukts hatte sich bestätigt.

Statt schleunigst in *Nature* zu veröffentlichen, ging Castor dieses Mal auf Nummer Sicher. Er rief Krauss an: Es sei nun nicht mehr nötig, daß sich die Harvarder Gruppe weiter um die Verifizierung des »Castor-Stafford-Versuchs« bemühe, weil er soeben einen zweiten und experimentell einfacheren abgeschlossen habe, ganz subtil zwang er Krauss, seine Aufmerksamkeit auf seinen eigenen Versuch zu konzentrieren statt auf Staffords.

»Warten Sie ab, bis Sie die Einzelheiten sehen, Karl. Es ist ein Gedicht! Aber ich schreibe noch keinen Bericht darüber, bis jemand in Ihrem Labor *meinen* Versuch wiederholt hat. Bevor ich diese Sache veröffentliche, will ich absolut sicher sein, daß niemand Schwierigkeiten mit der Wiederholung hat. Ich schicke Ihnen Photokopien meines Laborjournals durch Eilboten. Sie haben sie morgen.«

Krauss blieb nichts anderes übrig, als einzuwilligen, der unantastbare Zeuge von Castors wissenschaftlicher Wahrheitsliebe zu werden. Was keiner zu diesem Zeitpunkt voraussagen konnte, war, daß Krauss auch Castors Triumph verderben würde. Denn als der große Krauss schließlich seine Bestätigung von Castors zweitem Versuch veröffentlichte – womit er natürlich wartete, bis Castors triumphierender Artikel in *Nature* erschienen war –, bezeichnete er diesen Versuch in aller Unschuld, aber für alle Zeiten als die »Castor-Bestätigung«. Für Krauss und jeden Leser bestätigte Castors Alleingang schlicht die allgemeingültige Tumorgenese-Theorie, deren Autoren Castor *und Stafford* waren.

Doch all dies lag noch in der Zukunft. Da Castor davon überzeugt war, daß sein jüngstes Werk in Harvard bestätigt werden würde, sah er keine Veranlassung, länger damit zu zögern, seinen Erfolg mit Hilfe des alterprobten Nachrichtensystems bekanntzugeben. Er beraumte eigens ein Seminar der Abteilung an und verkündete, daß er sprechen werde – ohne das Thema zu nennen. Nur Superstars können sich dieses Tricks bedienen. Weniger große Leuchten laufen Gefahr, vor einem leeren Saal zu stehen, wenn auf der Ankündigung steht: »Das Thema wird noch bekanntgegeben.«

In Castors Fall hätte sein wochenlanges faktisches Verschwinden aus den Blicken der Öffentlichkeit auch ohne das Rätsel eines Vortrags ohne Titel ein volles Haus garantiert. Stafford traf absichtlich spät ein. Als er sich im hinteren Teil des Hörsaals niederließ, war er überzeugt, gleich seiner eigenen öffentlichen Hinrichtung beizuwohnen. Kurz nachdem Castor begonnen hatte, wurde es Stafford jedoch klar, daß er in dem Drama, das dem aufmerksam lauschenden Publikum geboten wurde, nicht einmal eine Nebenrolle hatte. Ohne auch nur zu erwähnen, daß Krauss Staffords Arbeit nicht bestätigen konnte, berichtete Castor über seinen *zweiten* experimentellen Nachweis der allgemeingültigen Tumorgenese-Theorie. Binnen Stunden hatte die Nachricht vermittels Ferngesprächen alle wichtigen Labors erreicht.

In der allgemeinen Aufregung hatte niemand bemerkt, daß Stafford aus dem Hörsaal geschlüpft war, sobald der Applaus einsetzte.

Er begab sich geradewegs in das Büro des Professors. »Stephanie.« Seine Stimme war beherrscht, als er sich im Zimmer der Sekretärin auf einen Stuhl sinken ließ. Er benahm sich, als ob es die letzten Wochen nie gegeben hätte. »I. C. hat gerade den sagenhaftesten Vortrag gehalten, den Sie sich vorstellen können. Ich dachte mir, ich warte einfach hier auf ihn – ich möchte ihm gerne sagen, wie ich das Referat fand.« Es machte Stafford nichts aus, daß er lange warten mußte; er wußte, daß Castor nach Beendigung seines Vortrags von bewundernden Studenten und Kollegen umringt sein würde. Er hatte dadurch Zeit, sich die entsprechenden Worte zurechtzulegen

Stafford überlegte noch im stillen, ob er artige Glückwünsche aussprechen oder überschwengliche Begeisterung zeigen sollte, als Castor erschien. Der junge Mann sprang auf. »Prof« – unter den gegebenen Umständen hielt er »I. C.« nicht für angebracht, und »Professor Castor« war eindeutig zu förmlich –, »könnte ich Sie kurz in Ihrem Büro sprechen?« Castor sah seinen Studenten nur stumm an und winkte ihn hinein.

Sobald die Tür geschlossen war, legte Stafford mit Volldampf los: »I. C., ich wollte Sie nur kurz alleine sprechen, denn ich wußte ja, daß Sie drunten im Hörsaal von allen umringt sein würden. Ich wollte Ihnen nur sagen, daß das der phantastischste Vortrag war, den ich je gehört habe. Ich hatte mir schon Sorgen gemacht, weil ich Sie die ganzen letzten Wochen nicht gesehen habe, aber jetzt bin ich beruhigt.«

Der Ältere verzog keine Miene. »Das sollten Sie wahrhaftig auch sein«, sagte er nur.

Den Everest auf zwei verschiedenen Routen zu besteigen ist sensationell; kaum jemand ist zweimal auf dem Gipfel photographiert worden. Diesmal endete Castors Schwelgen dort oben viel schneller als beim ersten Mal. Wieder war die Botschaft aus Harvard, der Überbringer Karl Krauss: Er gratulierte Castor zu der brillanten Konzeption des zweiten Versuchs und teilte ihm mit, daß die Verifizierung von Castors Ergebnissen bereits begonnen hatte. Castor war in Hochstimmung; eine potentiell verheerende Situation war auf dem besten Wege, für immer entschärft zu werden.

Doch dann fuhr Krauss fort: »Übrigens, I. C., neulich rief Ihr Stafford an. Er erkundigte sich, ob ich in meinem Labor eine Postdoc-Stelle für ihn hätte. Er sagte, er habe seine ganze wissenschaftliche Laufbahn in Ihrer Abteilung verbracht und würde sich gerne auch mal mit anderen Problemen beschäftigen, bevor er sich nach einem Lehrauftrag umsieht.

Einen anderen hätte ich nicht einmal angerufen. Aber da er mit Ihnen zusammenarbeitet, wollte ich feststellen, ob Sie etwas dagegen hätten, wenn er in meine Gruppe käme. Ich weiß, was für eine sagenhaft hohe Meinung Sie von Stafford haben. Aber Sie kennen ja unsere Bürokratie. Wir brauchen Empfehlungsschreiben für die Akten, und eines davon muß verständlicherweise von Ihnen kommen. Tatsächlich hat Stafford Sie aber gar nicht als Quelle genannt; er sagte nur, er wolle Sie nicht mit einer solchen Bagatelle belästigen. In Wahrheit machte er sich vermutlich Sorgen, Sie könnten verärgert sein, daß er in einem anderen Labor arbeiten will.«

Im Innern hatte sich Krauss irgendwie schuldig gefühlt, was seinen Wortschwall erklärte. Nun wartete er

auf eine Antwort, doch es kam keine. Castor war nämlich sprachlos.

Sein Freund Krauss hielt dieses Schweigen für Miß-
billigung. Er sprach hastig weiter: »I. C., Sie müssen
doch zugeben, daß nahezu alles, was der Mann von
nun an in Ihrem Labor machen würde, ein Abstieg wäre nach der sensationellen Arbeit, die Sie beide in *Nature* veröffentlicht haben. Könnten Sie mir nicht einen
Brief über ihn schicken? Er braucht ja nicht lang zu
sein – schreiben Sie einfach, was Sie mir immer gesagt
haben: daß er der beste Mann ist, den Sie je in Ihrem
Labor hatten.«

Nun stand Castor vor einem gigantischen Dilemma.
Wenn er sich weigerte, ein solches Schreiben zu schik-
ken, dann mußte er Krauss die Gründe darlegen.
Schließlich konnte I. C. nicht einfach behaupten, er
wolle Stafford behalten und würde seinen besten
Schüler aus diesem Grund nicht weiterempfehlen.
Falls er jedoch einen diesbezüglichen Brief schrieb,
dann konnte er den »Castor-Stafford-Versuch« nie
mehr aus der Welt schaffen, ohne sich selbst zu be-
lasten. Ein enthusiastisches Empfehlungsschreiben an
Krauss würde den Weg zu einer Zurückziehung für
immer versperren. Schlagartig erkannte Castor, daß
Stafford ihn mit einer raffiniert eingefädelten Erpres-
sung herausforderte. Er beschloß, das Lösegeld zu
zahlen, und im Mai des gleichen Jahres war Stafford
bereits nach Harvard gegangen.

Fünfunddreißig Minuten lang hätte man den 17.
Oktober als den kürzesten, schönsten Tag in Castors
Leben bezeichnen können. I. C. war ein Frühaufsteher,
der keinen Wecker brauchte. Kurz nach sechs Uhr
morgens, als er gerade unter der Dusche stand, klin-

gelte das Telephon. Castor hatte es einfach klingeln lassen wollen, doch die Hartnäckigkeit des Anrufers trieb ihn schließlich tropfnaß an den Apparat im Schlafzimmer.

»Professor Isidore Castor?« Die Männerstimme mit dem Akzent war ihm unbekannt; außerdem hatte ihn seit Jahrzehnten kein Mensch mehr »Isidore« genannt.

Er beschloß, sich unverbindlich zu geben. »Wer spricht da?«

»Sven Lundholm von *Svenska Dagbladet* in Stockholm.«

»Ja?« Castor war kaum imstande, dieses eine Wort auszusprechen, in dem so viel bange Erwartung, Verlangen, Triumph und auch ein wenig Unaufrichtigkeit lag. Er wollte kühle Gleichgültigkeit vortäuschen, doch sein Herz hämmerte so sehr, daß er nach der Pillendose mit den Nitroglyzerintabletten griff, die immer auf dem Nachttisch lag. Jeder Preisträger hatte sich gefragt – natürlich voller Dankbarkeit –, warum der erste Anruf unweigerlich von einem Reporter kam. »Ja«, setzte er energischer hinzu, »hier spricht Professor Isidore Castor.« *(Isidore Castor? Du lieber Himmel, das klingt ja wie ein wildfremder Mensch!)* »Was kann ich für Sie tun?«

»Ich habe die Ehre, Ihnen anläßlich der Verleihung des Nobelpreises für Physiologie und Medizin gratulieren zu dürfen.« Die schwülstige Sprache störte Castor nicht; tatsächlich hatte er sie kaum registriert. »Möchten Sie einen Kommentar abgeben?«

»Einen Kommentar? Nein. Ich weiß ja nicht einmal, ob es wahr ist.« Castor erinnerte sich an die peinliche Lage von Vincent Du Vigneaud, der öffentlich seine Freude bekundet hatte, als ihm ein Reporter verfrüht zur Verleihung des Nobelpreises gratulierte. In Du Vigneauds Fall war der Reporter ein ganzes Jahr zu früh dran gewesen.

»Professor Castor!« Der Mann klang empört. »Sie glauben doch nicht, daß ich aus Stockholm anrufe, um einen Witz zu machen?«

»Woher weiß ich denn, daß Sie aus Stockholm anrufen?« Castor fand, daß Vorsicht angebracht war, selbst auf die Gefahr hin, daß er den Anrufer beleidigte.

»Möchten Sie zurückrufen?« schoß der Reporter zurück. »Ich kann Ihnen die Nummer von *Svenska Dagbladel* in Stockholm geben.«

»Bemühen Sie sich nicht«, erwiderte Castor, der das Ganze durchaus genoß. »Ich werde einen Kommentar abgeben, aber vorläufig ist er noch inoffiziell.«

»Wie fühlen Sie sich, nachdem Sie den Nobelpreis erhalten haben?«

Castor konnte förmlich sehen, wie der Reporter bei diesen Worten aufstand und eine tiefe Verbeugung machte. »Offen gestanden habe ich noch nicht darüber nachgedacht, aber wenn es wahr ist, dann ist das eine große Überraschung. Wenn es wahr ist«, wiederholte er, um den Worten Nachdruck zu verleihen, »dann ist das nicht nur eine große Ehre, sondern auch eine Anerkennung für die über Jahre hinweg geleistete Arbeit meines gesamten Mitarbeiterstabes.«

Das war die Art von gestelzter Antwort, die die meisten Reporter, selbst schwedische, als Heuchelei erkennen. Der Mann versuchte es anders. »Herr Professor, was werden Sie mit dem Geld machen? Haben Sie schon beschlossen, wofür Sie es ausgeben werden?«

Castor war verblüfft. »Nein, natürlich nicht. Ich habe nicht einmal darüber nachgedacht.« Diesmal war die Antwort absolut wahrheitsgetreu, doch der Reporter ließ nicht locker.

»Aber Sie wissen doch, wieviel Geld mit dem Preis verbunden ist?«

Wieder antwortete Castor wahrheitsgemäß. »Nun, ich weiß zwar, daß es eine ganze Menge ist, aber ich weiß nicht genau, wie viel.«

Es war tatsächlich eine Menge Geld, aber nur halb soviel, wie Castor gedacht hatte. Sobald der Reporter aus Stockholm auflegte, schaltete Castor das Radio ein, um die Nachrichten zu hören. Er verpaßte die entscheidenden Worte nur um Sekunden. »… so daß der Löwenanteil der diesjährigen Nobelpreise nach Amerika geht. Der Preisträger für Literatur wird erst in der kommenden Woche bekanntgegeben.«

»Verdammt«, dachte Castor. »Muß ich jetzt auf die Sieben-Uhr-Nachrichten warten, um den Namen zu hören, oder soll ich den Rundfunksender anrufen?« Tatsächlich brauchte er gar nichts zu tun. Der erste Telephonanruf kam kurz darauf. Es war Karl Krauss.

»I. C.« Seine Stimme klang warm und erregt. Aufrichtige Freude strömte durch die Leitung. »Ich hoffe, daß ich einer der ersten bin, der Ihnen gratuliert. Sie haben diesen Nobelpreis wirklich verdient. Aber ich muß Ihnen etwas erzählen, was Sie bestimmt amüsieren wird. Raten Sie mal, was der Sprecher sagte, als heute früh der Nobelpreis für Medizin im Bostoner Rundfunksender bekanntgegeben wurde.«

»Ich habe keinen blassen Schimmer«, entgegnete Castor.

»Nun kommen Sie schon!« drängte Krauss. »Raten Sie einfach mal.«

»Na schön.« Castor spielte seinem Freund zuliebe

mit. »Nobelpreis für Krebsexperten aus dem Mittleren Westen.«

»Falsch!« triumphierte Krauss. »Er begann mit: ›Wieder einmal geht ein Nobelpreis an einen Mann aus Harvard.‹ Unser Lokalpatriotismus übertrifft doch alles, stimmt's? Typisch Harvard.«

»Das verstehe ich nicht.« Castor klang verwirrt. »Warum sollte er denn so etwas sagen?«

»Was heißt hier, das verstehen Sie nicht? Sie sind mir ein schöner Hinterwäldler! Wir sind so verdammt versessen darauf, die Liste unserer Nobelpreisträger zu verlängern, daß jeder hier Stafford in das Harvarder Namensverzeichnis einschließt. Lachhaft, nicht wahr?«

»Stafford? Wollen Sie damit sagen …?«

Die Saat für die Castor-Stafford-Paarung wurde vermutlich 1923 gesät, als MacLeod und Banting den Nobelpreis für Physiologie und Medizin für Bantings und Bests Entdeckung des Insulins erhielten. Der Aufschrei über die Ungerechtigkeit, daß Professor MacLeod, der Leiter des Labors, sich den Nobelpreis mit Banting teilte, während der junge Charles Best, der den entscheidenden Versuch durchgeführt hatte, übergangen wurde, hielt Jahrzehnte an. Seit damals hatten sich die Schweden praktisch jede erdenkliche Mühe gegeben, auch jüngere Mitarbeiter auszuzeichnen. Das letzte Beispiel eines geteilten Nobelpreises waren 1984 Milstein und Jerne zusammen mit dem wesentlich jüngeren Georges Koehler; die Castor-Stafford-Paarung erschien den meisten wohl als gerecht. Die ausschlaggebende Veröffentlichung – der Artikel, der kurz, aber unzweideutig die allgemeingültige Theorie der

Tumorgenese sowie ihren ersten experimentellen Nachweis schilderte – hatte sowohl Castors als auch Staffords Namen getragen.

Zu den üblichen Höflichkeiten unter neuen Nobelpreisträgern gehört es, dem Mitpreisträger zu gratulieren, bevor man sich für die Dutzende oder gar Hunderte von Glückwunschschreiben bedankt. Dennoch brachte es Castor nicht über sich, einen entsprechenden Brief an Stafford zu schreiben, und seltsamerweise setzte sich auch der junge Mann nicht mit seinem Mentor in Verbindung.

Wie die meisten ernsthaften Anwärter auf den Nobelpreis wußte Castor alles über die Feierlichkeiten. Der Preis selbst wird an einem Nachmittag Anfang Dezember vom König von Schweden verliehen, gefolgt von einem imposanten Diner mit anschließendem Ball im schönen Stockholmer Rathaus. Im Laufe der folgenden Woche hält jeder Preisträger einen öffentlichen Vortrag, der später sowohl als Buch wie als Zeitschrift veröffentlicht wird. Mehr als alles andere stellt dieser Vortrag das historische Dokument der wissenschaftlichen Unsterblichkeit des Preisträgers dar.

Das Beste sind eindeutig die Wochen vor der eigentlichen Preisverleihung. Parties, Interviews, Feiern aller Art sind an der Tagesordnung; der Reiz des Neuen ist noch nicht verflogen, das Preisgeld noch nicht ausgegeben worden. Castor hatte keine Ahnung, was Stafford machte, aber für I. C. nahm der Druck unerbittlich zu. Er konnte nur noch an die Verleihungszeremonie denken, wenn er und Stafford gemeinsam vor dem König von Schweden stehen würden, während Presse und Fernsehen weltweit über jedes Detail berichteten. Aber das war gar nichts verglichen mit Castors Angst vor dem wissenschaftlichen Vortrag, der von ihm und Stafford erwartet wurde. Da sich beide den Preis für die gleiche Entdeckung teilten, hätte es die Vernunft und Höflichkeit geboten, daß sie sich berieten, um festzulegen, wer was ragen sollte und in welcher Reihenfolge. Doch Stafford ließ nichts von sich hören.

An einem Abend Mitte November, nachdem Castor einen Brief aus Stockholm erhalten hatte, in dem er gebeten wurde, den ersten wissenschaftlichen Vortrag zu halten, auf den Staffords folgen sollte, hielt er den Druck nicht länger aus. Er setzte sich an den Schreibtisch, um mit der Abfassung seines Vortrags zu beginnen. Die Feder in der Hand starrte er scheinbar endlose Minuten auf das leere Blatt, während sein Herz immer schneller schlug. Schließlich griff er nach der Dose mit den Nitroglyzerintabletten, aber vergebens: Sie war leer. Während der Schmerz in seiner Brust zunehmend stärker wurde, schrieb Castor mit zitternder Hand die Worte, die später solches Aufsehen erregen sollten: »Schweren Herzens habe ich …«

War dies die Einleitung zu seinem Nobelpreis-Vortrag oder zu seinem Abschiedsbrief. Als Isidore Castor die Worte zu Papier brachte, erkannte er blitzartig, daß es nicht mehr darauf ankam. Er würde nicht einmal mehr rechtzeitig ins Badezimmer kommen. Dieses Mal gab es kein Dilemma zu lösen.

Die Raubritter von Glyndebourne

Nennen Sie mir ein zweites Opernhaus, wo grasende Schafe die grünen Hügel sprenkeln, die das Areal überblicken; wo das Publikum, in Smoking und Abendkleid, vom Parkplatz her Stühle, Decken, Weidenkörbe und Tische herbeischleppt, die in manch einem Speisezimmer Beifall fänden; und wo einige der echten Kenner bereits die besten Stellen belegt haben – neben den Ligusterhecken oder unter den mächtigen Eichen –, um Champagner zu schlürfen und Cremetörtchen zu verspeisen, während auf dem angrenzenden freien Feld, hinter einem tiefen Grenzgraben, die Kühe wiederkäuen.

Glyndebourne ist der Beweis für die britische Neigung zum ländlichen Snobismus. Aber es stellt den Opernfreund auch auf eine harte Probe: die lange Autofahrt oder zweistündige Anreise mit Bahn und Bus von London; die Notwendigkeit, schon Monate vorher Karten zu bestellen und, für einen ausländischen Besucher wie mich, genau zum Zeitpunkt der sehr kurzen Festspiele im Lande zu sein, wenn der Wetterbericht abwechselnd »sonnige Abschnitte mit vereinzelten Schauern« und »anfangs Regen, später sonnige Abschnitte« vorhersagt.

Auch ich hatte mich von diesem Snobismus anstecken lassen, als ich meinem Gastgeber vorschwärmte: »Francis, ich kann dir gar nicht sagen, *wie* beeindruckt ich bin, daß es dir gelungen ist, derart kurzfristig noch Karten zu bekommen.« Francis Holbrook – korpulent, rotbäckig und sowohl Reichtum als auch Macht verströmend – strahlte, während er den Blick über die Szene bukolischer Förmlichkeit gleiten ließ. Sein Sohn Nigel, zweiundzwanzig Jahre alt und Student in Cambridge, war schlecht gelaunt. Wir waren absichtlich frühzeitig eingetroffen, damit sie mir den Park zeigen konnten, bevor sich um 16 Uhr 30 der Vorhang zu *Il Ritorno d'Ullisse in Patria* hob. Und so schlenderten wir nun einige steinerne Stufen hinunter in Richtung einer ovalen Rasenfläche vor einem Teich, der von Weiden umstanden und mit Seerosen getüpfelt war. Es schien ein beliebtes Fleckchen zu sein: Anderswo achteten die Leute auf den gebührenden Abstand, während sie Tischdecken, Besteck und Stoffservietten auspackten; hier, auf dem grasbedeckten Oval, hatte ein Dutzend Grüppchen seine Claims dicht an dicht wie im Restaurant abgesteckt. »Die hocken hier doch bloß«, murmelte Nigel, »damit sie das Etikett auf der Weinflasche ihrer Nachbarn lesen können.«

»Was hat denn unser Misanthrop?« fragte ich scherzhaft, an einen Punkt genau zwischen Vater und Sohn gewandt.

»Es verstößt gegen Nigels sozialistische Prinzipien«, antwortete Holbrook. »Nigel ist vermutlich der einzige Mensch, der wegen Monteverdi und trotz Glyndebourne hier ist.«

»Nun seht euch das an«, brummte der Sohn und deutete auf einen Tisch, der ohne weiteres von einem Butler hätte gedeckt worden sein können. »Eine *silberne* Vase mit einer *gelben* Rose! Und vier Gläser aus Kristall! Und Geschirr aus *Knochenporzellan!* Und eine Pfeffermühle! Könnt ihr euch etwa ein Picknick mit einem *ordinären* Pfefferstreuer vorstellen?« Die sarkastischen Betonungen fielen wie Trommelschläge.

»Das genügt, Nigel«, sagte Holbrook, der mit einem versonnenen Lächeln zugehört hatte. Es war eine Warnung, keine Zurechtweisung; im gleichen Moment trat eine große Dame in Silberbrokat an den Tisch, um das Besteck anders anzuordnen. Sie nahm das zweite Messer jedes Gedecks und legte es in einer verwegenen Diagonale auf den Brot-und-Butter-Teller, so daß die Spitze zum Stuhl wies. »Felicity«, sagte ein majestätischer Mann im Abendanzug, der gerade einen Picknickkorb abstellte, »ich nehme schon mal den Kaviar aus dem Kühlbehälter. Dann müßte er in der Pause genau die richtige Temperatur haben.«

»Großer Gott!« brummte Nigel. »Laßt uns endlich reingehen. Das ist hier ja nicht zum Aushalten.«

In Glyndebourne räumt die Musik der Gastronomie eine 75 Minuten dauernde Dinner-Pause ein – einer der Gründe, weshalb die Vorstellungen so früh beginnen. An trockenen englischen Sommerabenden sind diese formellen Picknicks im Park ein Ausbund an eleganter Garderobe und gesellschaftlichem Dekorum. An den weit häufigeren Regentagen ziehen sich die Optimisten – also diejenigen, die es abgelehnt hatten, vorsichtshalber einen Tisch in einem der drei Restaurants der Anlage zu reservieren – in ihre Automobile zurück. Dann werden die Daimlers und die großen Rolls Royces zu Speisezimmern, die Jaguar-Sportwagen und die Porsches verwandeln sich in Eßecken.

Francis Holbrook fand, daß ich mich bei meinem ersten Besuch in Glyndebourne nicht auf das englische Wetter verlassen sollte. Wie andere umsichtige Besucher hatte er das komplette Menü mit vier Gängen und den entsprechenden Weinen schon eine Woche vorher bestellt. Das Essen war erstklassig, der Service untadelig und zeitlich so abgestimmt, daß man selbst den Kaffee ohne übertriebene Eile trinken konnte, bevor das erste Klingelzeichen ertönte. Nigel entschuldigte sich allerdings nach dem Gravedlachs, bevor die entbeinte gefüllte Wachtel auch nur serviert worden war. »Ich hoffe, ihr habt nichts dagegen«, verkündete er, »aber ich würde gerne in den Park gehen.«

Holbrook runzelte die Stirn. »In den Park? Wirst du denn das Knirschen der Pfeffermühlen und das Klirren der Gläser ertragen können?«

»Ich schaff das schon«, murmelte Nigel und ging.

»Mein Sohn hat sich zu einem Snob von der Art entwickelt, wie man ihn nur in unserem Lande antrifft«, sagte mein Gastgeber glucksend. »Er nimmt an Parforcejagden teil, möchte aber, daß der Fuchs gewinnt.«

Nigel schlüpfte auf seinen Platz, gerade als die Lichter für den zweiten Akt des *Ulisse* erloschen. Später, im Bentley, sagte Holbrook beiläufig: »Ich stelle fest, Nigel, daß du auf einmal überaus vergnügt bist. So ganz anders als bei der Ankunft.«

Sein Sohn ignorierte die Bemerkung. »Danke, daß du mich mitgenommen hast, Vater«, sagte er. »Das war eine tolle Aufführung.«

»Sogar die Szene im Park? Bist du in der Pause etwa zum Tory geworden? Wenn ja, solltest du unbedingt wiederkommen.«

»Schon möglich«, erwiderte Nigel.

Zu meiner Überraschung erhielt ich vier Tage später von Nigel eine zweite Einladung nach Glyndebourne, *zu L'Italiana in Algeri.* »Wir holen Sie kurz nach zwei ab. Aber ich muß Sie warnen: Wenn das Wetter schlecht ist, müssen wir es verschieben.«

Wie sich herausstellte, handelte es sich bei »wir«, abgesehen von Nigel, um ein junges Paar in formeller Abendkleidung und den uniformierten Chauffeur, der in Nigels Alter war. Es war mit Sicherheit nicht der Mann, der uns in der vergangenen Woche im Bentley gefahren hatte, doch das Gesicht kam mir bekannt vor. Es war Cedric, wie mir plötzlich klar wurde, der zu der Gastvorlesung gekommen war, die ich in Cambridge gehalten hatte. Er hatte mir bei meinem Vortrag über Unternehmensführung im kalifornischen Silicon Valley mit verfänglichen Fragen ziemlich zugesetzt. »Ich meine, daß wir ganz gut ohne Lektionen in marktwirtschaftlicher Freibeuterei auskommen können«, hatte seine abschließende höhnische Bemerkung gelautet.

»Ich möchte mich bei Ihnen für die geheimnisvolle Einladung entschuldigen.« Nigel saß neben Cedric, der die Mercedes-Kombi-Limousine fuhr; nun drehte er sich zu mir um. »Ich war nicht sicher, ob Sie mitgekommen wären, wenn ich Sie in unseren Plan eingeweiht hätte.«

»Sie wissen doch, wie sehr ich unseren letzten Ausflug nach Glyndebourne genossen habe. Und ich habe gerne jüngere Menschen um mich.« Kaum hatte ich »jüngere« gesagt, als mir auch schon klar wurde, wie affektiert das klang. »Und selbst wenn ich wollte, könnte ich mich bei dem Tempo, das wir vorlegen, jetzt nicht mehr anders besinnen.«

Nigel lächelte nicht. »Was sich im Park von Glyndebourne abspielt, ist beschämend – in England schnellt die Zahl der Arbeitslosen in die Höhe; in Afrika hungern Millionen; und diese Typen im Smoking ...«

»Und die Abendkleider«, warf Pippa Stanley-Hunter ein, die vollbusige Brünette zu meiner Rechten, die ein sensationell dekolletiertes Kleid trug. »Die führen sich auf, als ob sich in den letzten fünfzig Jahren nichts geändert hätte.«

»Nun hören Sie aber auf, Nigel!« sagte ich. »So schlimm ist Glyndebourne nun auch wieder nicht. Außerdem mögen Afrikaner keinen Kaviar.«

»Sehr komisch«, erwiderte Nigel.

Ich warf einen schnellen Blick auf Pippa, deren gequälter Gesichtsausdruck jedoch klar erkennen ließ, wo ihre Loyalitäten lagen. »Sprechen Sie nur weiter«, sagte ich, da mir nicht nach einer dialektischen Auseinandersetzung zumute war.

Nigel zögerte und bestach mich dann mit einem Lächeln. »Das ist nicht der rechte Ort für sozialpolitische Debatten. Außerdem ist bei Ihnen und Vater ohnehin Hopfen und Malz verloren. Wir haben Sie eingeladen, weil wir jemand brauchen, der seriös aussieht und nicht zu jung ist.«

»Vielen Dank«, sagte ich sarkastisch.

»Nur die Feststellung einer Tatsache«, fügte Pippa hinzu,

»Haben Sie die vier Picknickkörbe hinter Ihnen bemerkt?« fragte Nigel.

»Ja. Ich habe mich schon gewundert, warum wir für eine einzige Opernpause vier riesige Körbe brauchen. Warum speist ihr damit nicht Dutzende von hungernden ...«

»Mach sie doch mal auf, Derek.« Nigels Unterbrechung beendete meinen Versuch, einen sozialkritischen Kommentar abzugeben. Allmählich wurde ich neugierig: Was wollten sie wirklich von mir?

Der junge Mann zu meiner Rechten drehte sich um und hob den Deckel des Korbes, der direkt hinter ihm stand. Der Korb war leer.

»Da ist ja gar nichts drin!« rief ich aus.

»Richtig. Mach den nächsten auf«, befahl Nigel.

Derek griff weiter nach hinten und klappte den Deckel des zweiten Korbes auf, in dem aufgestapelte Coca-Cola-Dosen zum Vorschein kamen.

»Nur zu, Derek. Zeig ihm auch den Fisch und die Pommes.«

»Um Himmels willen, Nigel!« sagte ich. »Wir sollen wohl Buße tun für die kulinarischen Exzesse all der anderen Leute in Glyndebourne. Ihr habt ja mehr als genug Cola für uns alle dabei!«

Es stellte sich heraus, daß nur eine einzige Opernkarte vorhanden war – sogar die war schwer zu bekommen gewesen –, doch ein kurzer Wink mit dem Kuvert genügte, um an dem Wächter vorbei auf den Parkplatz zu kommen. Cedric in seiner Chauffeursuniform wurde völlig ignoriert, als er einen der Picknickkörbe an die Stelle trug, die Nigel in der Woche zuvor ausgewählt hatte. Auf der einen Seite waren wir durch eine Hecke abgeschirmt, aber wir befanden uns in Sicht- und Hörweite der ovalen Picknickfläche, die so beliebt war. Während Nigel mit mir durch den Park spazierte – damit wir von möglichst vielen Leuten zusammen gesehen wurden –, holten die anderen die Decke aus dem Korb und legten die vier Picknickgedecke auf. Als wir zurückkamen, saß Derek auf der Decke, den Ellbogen auf dem geschlossenen Korb, und betrachtete sich das bunte Treiben. Pippa nippte an einem Glas Wein. Niemand wäre auf die Idee gekommen, daß der Wein ein billiger bulgarischer Cabernet Sauvignon war, wie man ihn derzeit im Cambridge trank, oder daß hinter der heiteren Unbekümmertheit dieses hübschen Paares verzweifelt über die bestürzende Arbeitslosigkeit in Liverpool und die aufgeblähten Bäuche im Sudan nachgedacht wurde.

»Gehen wir«, verkündete Nigel. »Wenn wir an den Tennisplatz kommen, biegen Sie mit dem Rest der Leute links zum Zuschauerraum ab, während wir zum Auto gehen. Wir warten dort, bis die Vorstellung begonnen hat. Dann nimmt Cedric den nächsten Korb heraus und macht sich wie ein x-beliebiger Chauffeur damit zu schaffen, bis er sicher ist, daß alle drinnen sind, und kommt uns dann holen. Und wir bringen die anderen Körbe. Mit vereinten Kräften müßten wir alles in ein paar Minuten erledigt haben.«

Ich staunte darüber, wie gelassen sie waren. Aber warum auch nicht? Sie paßten so perfekt in das Milieu von Glyndebourne – Kleidung, Akzent, Haltung; kein Wunder, daß britische Spione wie Guy Burgess so lange unentdeckt blieben. Aber was war mit mir? Sah ich so auffällig aus, wie ich mir vorkam? Ich erinnerte mich nicht, jemals mitten am Nachmittag einen Smoking getragen zu haben, und jetzt stand ich schon zum zweiten Mal innerhalb einer Woche in einem geliehenen hier. Ich war mir nicht einmal über meine Rolle im klaren. Zeuge? Mitverschwörer? Oder nur Statist? Wir waren schon fast am Tennisplatz angelangt, als Nigel sich zu mir umwandte und zum erstenmal besorgt klang.

»Sie sitzen direkt am Gang. Bitte gehen Sie gleich raus, sobald der Vorhang fällt, und kommen Sie so schnell wie möglich an unseren Picknickplatz. Fangen Sie schon mal an, das Essen aus dem Korb zu nehmen – zumindest den Räucherlachs – und auf die Teller zu legen. Wir kommen nach, sobald sich der Rest der Meute über den Rasen bewegt. Danke und viel Glück.« Viel Glück? War ich etwa gerade befördert worden? Bis jetzt hatte ich noch nichts getan, und ich hatte auch nicht die Absicht, irgend etwas zu tun. Man würde mich drinnen im Opernhaus sehen – also konnte ich unter gar keinen Umständen belastet werden, wie ich hoffte. Aber immerhin hatte ich eingewilligt mitzumachen.

Ich war nicht der einzige, der sich nach dem ersten Akt den Vorhang für Elvira, Isabella und Mustafa entgehen ließ. Einige Mitglieder des Glyndebourner Publikums verziehen sich stets, bevor das Licht angeht, um im Auftrag von Freunden, Ehefrauen oder Eltern zum Wagen zu laufen und die fehlende Delikatesse zu holen oder die Weinflaschen zu öffnen, damit der Bordeaux sein Bouquet entfalten kann. Dennoch war ich als einer der ersten in unserem Teil des Parks, und wie ein alter Glyndebourner Hase öffnete ich unseren Picknickkorb, den Derek mir im Auto nicht gezeigt hatte. Jetzt verstand ich auch den Grund: Der dünn aufgeschnittene, blaßrosa Räucherlachs kam bestimmt nicht aus einem proletarischen Lebensmittelladen, genausowenig wie die Straßburger Gänseleberpastete mit Trüffeln. Ich hatte gerade die Lachsscheiben auf den Tellern angeordnet, als Nigel und seine beiden Freunde erschienen.

»Mach doch schon mal den Salat an, Liebling«, sagte Derek und reichte Pippa das langstielige Besteck. »Ich kümmere mich inzwischen um den Wein.«

»Wo ist Cedric?« fragte ich. »Was hat er denn zu essen?«

»Fisch und Pommes«, grinste Nigel. »Wir können den Chauffeur doch nicht hier bei uns essen lassen!«

»Ich hatte nur Zeit, den Räucherlachs und die Pastete rauszunehmen«, sagte ich.

»Hoffentlich haben Sie bemerkt, daß Trüffeln drin sind«, warf Derek ein. »Ich habe unsere heimische Speisekammer geplündert.«

»Das habe ich gemerkt. Und dabei habe ich nicht einmal alle Päckchen geöffnet. Aber ich habe die Aufschrift Fortnum & Mason gesehen, ihr Salonsozialisten.«

Nigel klopfte mir leicht mit dem langen Baguette auf die Hand, das er gerade in vier Stücke brechen wollte. »Daß Sie mir ja noch nichts anrühren!« grinste er. »Die sind für später. Als Nachtisch quasi.«

»Ich vermute, wir essen das mehr um der Glaubwürdigkeit willen als aufgrund sozialistischer Prinzipien.« Ich habe nun einmal die Angewohnheit, Mißbehagen hinter Geplapper zu verstecken.

»Sehr richtig«, erwiderte Nigel.

»Oh, schaut mal! Schnell! Es geht los!« flüsterte Pippa. »Der Tisch gleich rechts von der Frau in Grün. Ich wußte, daß das ein toller Jux wird.«

Ich hatte nicht den blassesten Schimmer, welche Gruppen sie sich ausgesucht hatten, aber es hätte mir klar sein müssen, daß das kleine Oval eine erstklassige Zielscheibe abgab, weil die Essenden an ihren Tischen oder auf den Decken so dicht beieinander waren. Vielleicht war es mein unbewußtes Schuldgefühl gewesen, das mich veranlaßt hatte, mich mit dem Rücken zu der Rasenfläche zu setzen: Wenn ich die

Leute dort nicht sehen konnte, dann konnten sie mich auch nicht sehen ...

Pippa sprach *pianissimo* weiter: »Das sind die mit dem Beaujolais. Ich dachte mir, wer primitiv genug ist, dieses Zeug zu trinken, der kann ebensogut auch Coca-Cola bekommen. Schaut mal, wie er mit seiner Frau spricht; das muß seine Frau sein, sonst würde sie nicht so tun, als ob nichts wäre.« Sie beugte sich vor, um ihr Lachen zu unterdrücken. »Schaut mal, wie sie einschenkt! Als ob es genau das wäre, was sie ohnehin hatten trinken wollen: Cola in geschliffenen Kristallgläsern! Ich kann es euch ja ruhig verraten«, sagte sie und senkte die Stimme noch mehr, »ihr Beaujolais ging an die beiden auf der Decke, die unterhalb von dem Typ sitzen, der seine Cola betrachtet. Ich habe ihn mit ihrem Château Talbot vertauscht, der jetzt bei Cedric im Wagen ist. Nigel, ich muß einfach dauernd hinsehen; aber sag mir, wenn die was merken.«

Die Erregung meiner Begleiter war ansteckend; ich kam mir schon fast wie ein Mitwirkender vor. »Mal sehen«, sagte Nigel, der trotz der Tatsache, daß die Sonne bereits untergegangen war, eine verspiegelte Sonnenbrille aufgesetzt hatte. Er schien an alles gedacht zu haben. Ich hasse diese Brillen, bei denen man die Augen des Trägers nicht sehen kann, sondern nur das eigene verzerrte Spiegelbild en miniature erhascht. Aber für Nigels Zweck waren sie ideal. »Er macht jetzt eine der Flaschen auf. Um die Flasche ist eine Serviette gebunden ...«

»Das war ich!« verkündete Pippa triumphierend *sotto voce*. »Ich dachte mir, daß er so das Beaujolais-Etikett nicht bemerkt.«

»Ausgezeichnet!« Nigels blanke Spiegelgläser wiesen in die Richtung der heraufziehenden Katastrophe. »Jetzt gießt er ein wenig in sein Glas ... hebt es hoch ... setzt es an die Lippen ...« Nigel erhob sein eigenes Glas, um seinen Kommentar mimisch zu untermalen.

»Würde mir mal jemand sagen, was hier eigentlich vor sich geht?« verlangte ich.

Nigel machte eine Handbewegung und murmelte: »Gleich!« was mich weiter im Ungewissen ließ. »Er nimmt die Serviette ab ...«

Obwohl ich dem Schauspiel den Rücken zuwandte, konnte ich deutlich hören, wie jemand brüllte: »Verdammt ungenießbarer Beaujolais! Wer zum Teufel hat dieses Gesöff mitgebracht?« Ich mußte mich einfach umdrehen. Was ich erblickte, war ein Tableau aus einer Farce von Feydeau: der empörte Beaujolais-Koster auf der Decke, sein Château-Talbot-Gaumen gröblichst beleidigt; der frühere Beaujolais-Besitzer, der direkt hinter ihm saß, in der Hand ein Weinglas voll Coca-Cola, im Gesicht die heraufdämmernde Erkenntnis, Opfer einer Infamie geworden zu sein; und der Rest der Menge – die Männer in Schwarz, die Frauen im farblichen Wettstreit mit den Blumen – aufgeschreckt von einem Lärmpegel, wie man ihn gewöhnlich nur im Innern des Opernhauses vernahm, nicht jedoch in dieser englischsten aller englischen Parkszenen.

»Nigel«, mischte sich Pippa ein, »welchen Tisch hast du mit Fisch und Pommes beehrt?«

»Keinen von denen hier. *Den* Korb habe ich auf die andere Seite der Decke gebracht.« Er erhob sich von der Decke. »Der General werden mal das andere Schlachtfeld inspizieren.«

»Ich muß schon sagen, die vier dort drüben haben wirklich Stil!« Derek schenkte sich noch etwas bulgarischen Wein nach. Dann deutete er hinter mich. »Die hatten einen piekfeinen Freßkorb: eine große Dose echter Beluga-Kaviar und den besten Wein von allen. Die zwei Flaschen 76er Latour bringen uns mindestens zweihundert Pfund bei der Versteigerung ...«

»Versteigerung?« Kaum hatte ich mich an meinen Status als unschuldiger Mitwirkender bei einer riskanten Eskapade gewöhnt, da wurde der Einsatz schon wieder erhöht. »Was für eine Versteigerung?«

Die Selbstgefälligkeit in seinem Gesicht gefiel mir gar nicht. »Sie finden es wohl ziemlich fies von uns, daß wir Sie nicht früher eingeweiht haben, stimmt's? Hoffentlich dachten Sie nicht, wir seien Diebe. Wir sind die modernen Robin Hoods von Glyndebourne: Wir organisieren eine Versteigerung von Edelfressalien in Cambridge ...«

»Lassen Sie mich raten, Derek«, unterbrach ich ihn. »Mit dem Erlös aus dem Kaviar und den Weinen und der ganzen übrigen Beute wollt ihr Mais und Weizen für Afrika kaufen.«

Derek erhob sein Glas und zwinkerte mir zu. »Ich habe ihnen dafür den billigsten Chianti überlassen, den wir finden konnten, und eine Ladung von diesen grellroten Lachseiern – ein ganzes Glas voll. Sie müssen es einfach merken. Aber schaut sie euch an. Ich dachte, sie würden verdammt wütend sein, aber sie scheinen sich blendend zu amüsieren. Der Mann mit dem gewachsten Schnurrbart hat den Wein eingeschenkt, als ob es der feinste Bordeaux der Welt wäre – er hat sogar eine Serviette drumgebunden. Und zwar er selbst«, sagte Derek zu Pippa gewandt, »nicht ich.

Ich wollte absolut sicher sein, daß er das Chianti-Etikett sieht, obwohl ihm allein die Form der Flasche gesagt hätte, daß das kein Château Latour ist. Schaut mal, wie die Frau lacht mit ihrem großen Löffel voll rotem Glibber. Wenn das Snobs sind, dann haben sie zumindest Sinn für Humor. Oder aber sie sind gute Schauspieler!«

In der Ferne sah ich Nigel näher kommen. Er schien enttäuscht zu sein. Seine Haltung hatte so gar nichts Robin-Hood-Mäßiges. Nachdem er sich gesetzt hatte, begann er in dem Dessert auf seinem Teller herumzustochern, den wir während seiner Abwesenheit gefüllt hatten.

»Wie ist die Lage an der Fisch-und-Pommes-Front?« Als Nigel keine Antwort gab, half Pippa nochmals nach: »Na?«

Er zuckte die Achseln. »Das erzähl ich euch später.« Allmählich hatte ich den Spaß doch etwas satt, obwohl ich mit den dreien gelacht hatte. Es war Zeit, mir noch etwas die Beine zu vertreten, bevor der zweite Akt begann. »Wir warten dann im Auto auf Sie«, rief Nigel, als ich mich zu den Blumenrabatten aufmachte.

Gerade war der erste Beifallssturm nach dem abschließenden Septett losgebrochen. Ich wartete darauf, daß Frederica von Stade vor den Vorhang trat; sie hatte eine überragende Isabella gegeben, und die Spaghetti-Szene war vom Publikum mit schallendem Gelächter aufgenommen worden. Ich blieb, bis die letzten Bravorufe verklangen. Als ich mir einen Weg durch die Menge bahnte, sah ich Nigel, der mir zuwinkte.

»Sie hätten mich nicht abholen müssen«, sagte ich. »Ich weiß doch, wo der Wagen steht.«

»Deshalb bin ich nicht hier«, antwortete er etwas linkisch. »Es fährt noch jemand im Auto mit. Sagen Sie bitte kein Wort von unserem Jux mit dem Essen.«

»Wie seid ihr denn zu einem weiteren Fahrgast gekommen?« fragte ich.

»Warten Sie, bis wir draußen sind«, sagte Nigel und ging mit mir in Richtung der Tennisplätze.

»Ich kann mir immer noch nicht erklären, wieso wir Fisch und Pommes und diese Cox-Orange-Pippin-Äpfel in unserem Picknickkorb hatten«, sagte Millicent. Ihren Nachnamen erfuhr ich gar nicht erst, als wir uns im Auto miteinander bekannt machten, und ich hatte mir die junge Frau auch nicht richtig angeschaut, als ich in den Mercedes stieg. Alles, was ich erhaschte, waren Blitzlichtaufnahmen ihres linken Profils – lockiges dunkles Haar, Knubbelnase und etwas vorstehende Zähne – infolge der gelegentlichen Scheinwerfer entgegenkommender Fahrzeuge. Diesmal fuhr Derek, auf dem Sitz neben ihm Nigel, die beiden Frauen und ich im Fond, während Cedric sich hinter uns zwischen den vier Körben ausgestreckt hatte. »Und dabei war er von Harrod's«, setzte sie mit wehleidiger Stimme hinzu.

»Haben Sie gesehen, wie der Korb gepackt wurde?« fragte Pippa.

»Nein. Ich hab Harrod's vom Büro aus angerufen. Mr. Shaw hat mich erst tags zuvor eingeladen, als ein japanischer Kunde der Firma seine Reise abgesagt hat.«

»War Shaw der finstere Typ an Ihrem Tisch, der die Leute so anstarrte?« fragte Nigel.

»Er war verdammt wütend, als er den nagelneuen

Weidenkorb aufgemacht hat. Den hab ich auch von Harrod's – ich glaub, er heißt ›Glyndebourne-Spezial‹.«

Von den Vordersitzen her vernahm man ein gedämpftes »Was Sie nicht sagen!«

»Wahrscheinlich hat Mr. Shaw schon nicht mehr mit mir geredet, als Sie uns gesehen haben.« Es war klar, daß Millicent Nigels sarkastischen Ton nicht bemerkt hatte. »Im Büro ist er ja ein bißchen steif, aber er ist ein anständiger Chef, und man kann ihm eigentlich auch keinen Vorwurf machen. Ich hab's erst gar nicht geglaubt, als er zu mir gesagt hat, daß ich für den Korb und das Essen ruhig ein paar hundert Pfund ausgeben darf. Gewöhnlich ist Mr. Shaw nicht gerade ein Verschwender. Aber dann hat er mich über Glyndebourne aufgeklärt und gesagt, daß sein japanischer Gast das nie vergessen wird …«

»Trotzdem war es ganz schön fies, Ihnen die Schuld zu geben«, sagte Pippa. »Harrod's ist da offensichtlich ein Fehler unterlaufen, als Ihre Bestellung ausgeführt wurde.«

»Ich kann mir nicht vorstellen, daß Harrod's Fisch und Fritten führt. Sie hätten mal den Kundenberater hören sollen, mit dem sie mich verbunden haben, als ich angerufen und gesagt habe, daß ich einen Korb für Glyndebourne bestellen und mich beraten lassen wolle. Ich hab noch nie Wachteleier in Aspik gegessen; ich weiß nicht einmal, wie so was aussieht. Und der Kaviar – Sie haben bestimmt keine Ahnung, was eine kleine Dose kostet. Vielleicht doch; wahrscheinlich haben Sie schon mal den Champagner getrunken, den man mir empfohlen hat. Moët«, setzte sie hinzu, mit der Betonung auf der ersten Silbe. »Ich höre noch, wie der Herr von Harrod's den Nachtisch beschrieben hat: ›Delikate Windbeutel mit einer Füllung aus Konditorcreme, üppig umrahmt von reifen Erdbeeren‹.«

»Na ja, vielleicht hat sich jemand in der Versandabteilung einen Jux gemacht.«

»Einen Jux?« Millicent klang indigniert.

»Vielleicht war es gar kein Jux«, warf Nigel ein. »Vielleicht war es ein Protest.«

»Gegen was?«

»Nun, gegen die ganze Verschwendung und Protzerei dieser Freßorgien in den Glyndebourner Pausen.«

»Mir hat das eigentlich gefallen, und ich hab auch nicht viel Verschwendung gesehen. Was haben Sie denn gegessen?«

Ich fand, daß es an der Zeit war, Nigel zu Hilfe zu kommen. Das war ich ihm für *L'Italiana* schuldig. »Wie sind Sie denn hier in unserem Wagen gelandet? Was ist denn mit Ihrem Mr. Shaw passiert?«

Nigel griff den Ball sofort auf. »Der Kerl hat sie sitzenlassen! Als ich zum zweitenmal vorbeikam, als alle Leute schon zum zweiten Akt hineingegangen waren, sah ich Millicent ganz allein dasitzen; sie schluchzte. Ich sagte ihr, daß wir keine Karten hätten und nur zu deiner Begleitung mitgekommen seien. Ich dachte, sie könnte ebensogut mit verständnisvolleren Leuten zurückfahren als mit diesem miesepeterigen Shaw.«

»Es ist wirklich eine Schande. Das war meine erste Oper, und ich weiß nicht einmal, wie sie ausgegangen ist.« Bislang hatte Millicent mich völlig ignoriert, doch nun wandte sie sich an mich: »Sie haben sie doch ganz gesehen. Was ist im zweiten Akt passiert?«

»Er endet mit einer der komischsten Opernszenen überhaupt«, begann ich, ohne nachzudenken. »Erinnern Sie sich, wie Mustafa, der Bey von Algier, sich im ersten Akt in Isabella, seine italienische Gefangene, verliebt, die wiederum Livorno, den Sklaven des Beys, liebt?«

»Wunderbar war das«, nickte sie.

»Nun, im zweiten Akt führt Isabella Mustafa an der Nase herum, indem sie ihm eine riesige Schüssel Spaghetti mit Tomatensauce und Käse kocht. Sie reibt den Parmesan, während sie mit lauter Stimme singt, und flieht dann mit ihrem Geliebten, weil Mustafa ganz in das erste Spaghetti-Gericht seines Lebens vertieft ist.«

»Mann, hab ich einen Hunger!« seufzte sie. »Mir wären sogar Fisch und Fritten recht. Ich hab nämlich extra nichts zu Mittag gegessen – ich wollte Platz lassen.« Sie lachte hohl.

»Kriechen Sie doch zu mir nach hinten«, sagte Cedric. »Wir haben noch jede Menge Essen übrig. Sie müssen eben nehmen, was sich so findet; hier hinten ist es nämlich dunkel.« Seine letzten Worte hingen lockend in der Stille des Wagens.

Cedric hatte seine Einladung kaum ausgesprochen und schob noch die Körbe beiseite, um mehr Platz zu schaffen, als Millicent auch schon über den Rücksitz kletterte. »Kommen Sie, setzen Sie sich hier hin«, murmelte Cedric. »Ich mache den Korb auf und Sie greifen einfach zu.«

Nach einigem Kichern hörten wir Millicents enttäuschte Stimme: »Ausgerechnet Stilton! Das ist der einzige Käse, den ich nicht mag.«

»Macht nichts, wir haben noch einen Haufen anderer Sachen. Mal sehen, was ich finde. Probieren Sie mal das«, sagte er nach einer Pause. »Es ist weich und es riecht nicht nach Käse. Durch das Papier kann ich eigentlich gar nichts riechen. Nehmen Sie lieber einen Löffel.«

Ich konnte Papier rascheln hören und dann verzücktes Schnurren: »Ah, das ist schon besser, viel besser. Da, Cedric, nehmen Sie einen Happen und sagen Sie mir, wofür Sie das halten.«

»Labberige Eier«, sagte er lachend noch mit vollem Mund.

»Sie haben recht«, rief sie aus. »Aber was für welche?«

»Vielleicht steht das auf der Verpackung«, meinte Cedric.

Ich sah, wie Nigel instinktiv eine Bewegung machte, aber für eine warnende Bemerkung war es bereits zu spät. Millicent hatte die Innenbeleuchtung eingeschaltet.

»Aber ...« fing sie an und verstummte dann abrupt. Ich hatte mich gerade rechtzeitig umgedreht, um zu sehen, wie sie in den anderen Päckchen wühlte. »Ihr verdammten Schweine!« kreischte sie. »*Ihr* wart das also!« Und mit diesem Schrei begann das Bombardement.

Das erste Geschoß, die Wachteleier in Aspik, traf Nigel an der Schulter. Das nächste, die delikaten Windbeutel, schoß an mir vorbei und klatschte gegen die Windschutzscheibe.

»Um Himmels willen, aufhören!« rief Derek, während er auf die Bremse trat. »Ich kann ja nichts sehen.« Aber es war schon zu spät. Der Wagen schleuderte auf dem unbefestigten Straßenrand und streifte eine Notrufsäule. Ich wurde gegen die Rückseite von Nigels Sitz geworfen. Er und Derek sprangen aus dem Wagen und rannten nach hinten, um die Heckklappe der Kombi-Limousine zu öffnen. Doch die Zeitspanne genügte der rasenden Millicent, um den restlichen Inhalt ihres Picknickkorbes durch den ganzen Wagen zu schmeißen. Ich sah nur noch, wie der Deckel von Harrod's feinstem Mango Chutney abgerissen und der Inhalt über Pippas Rücken und nackte Schultern geschüttet wurde. Als sie sich ruckartig vorbeugte, lief ihr die Schmiere wie Lava zwischen den Brüsten hinunter.

Millicent kletterte aus dem Heckabteil; ihre Hände trieften, die Vorderseite ihres Kleides glich einer Malerpalette. »Ihr schwulen kleinen Scheißer«, brüllte sie unter Tränen und zog in Richtung der fernen Lichter einer Tankstelle ab.

Ich saß als einziger noch im Wagen. Mein Kopf begann zu schmerzen, und als ich mir an die Stirn faßte, spürte ich eine klebrige Flüssigkeit. Ich stieg vorsichtig aus und ging zu Nigel, dessen gestärktes weißes Hemd von den Erdbeeren wie blutbespritzt aussah. Er deutete auf den eingedrückten Kühlergrill und die große Delle am linken Kotflügel.

»Großer Gott«, murmelte er. »Wie soll ich das bloß meinem Vater beibringen?«

»Nigel«, sagte ich, »würden Sie mir bitte helfen? Ich glaube, ich blute.«

Er sah mich rasch an und beugte sich dann mit zusammengekniffenen Augen vor, wie um mich besser in den Brennpunkt zu rücken.

»Sie werden es überleben«, sagte er und begann in seinen Taschen herumzukramen. Ich dachte, daß er nach einem Taschentuch suchte, um mir das Blut abzuwischen, das mir in die Augen zu laufen begonnen

hatte. Statt dessen brachte er einen Kamm zum Vorschein, der aus Schildplatt bestand und oben und an
einer Seite silberne Verzierungen aufwies. »Da, käm-
men Sie sich den Kaviar aus den Haaren.«

Der Psomophile

Noch bevor man ihn sprechen hörte, war offenkundig, daß er kein Amerikaner war. Es gab Andeutungen von Spanisch und hin und wieder italienische Anklänge, die zu typischen Britizismen hinzukamen; man hätte auf eine italienische Familie in Südamerika schließen können, beispielsweise in Argentinien oder Uruguay, die ihren Sohn auf eine englische Schule geschickt hatte. Er trug nur maßgefertigte englische Schuhe. Seine Jacketts waren ausnahmslos im italienischen Stil und eng, jedoch nicht zu eng, zweireihig und aus Stoffen wie venezianischer Wolle, die ihre Form selbst im Regen nicht verlor, oder kariertem Kaschmir. Jetzt lebte er in Hillsborough, einem der wohlhabendsten Vororte von San Francisco, und pendelte in einem Jaguar mit Chauffeur in die Stadt.

Doch sein charakteristischstes Merkmal war seine Vorliebe für Brot. Nicht für alle Backwaren und schon gar nicht für Kuchen, sondern für Brot – oder Brötchen. Einmal bezeichnete ihn ein Freund als *paniphil*, doch eine griechischlateinische Zwitterform wollte er nicht gelten lassen. Nach längerer Diskussion riefen sie einen zypriotischen Bekannten an, der ihre Wahlmöglichkeiten auf zwei einengte. *Artophil* war vermutlich korrekter, da dieses Wort auf dem altgriechischen *artos* für Laib basierte, doch störte hierbei, daß es zu Mißverständnissen führen konnte. Natürlich war er auch ein Liebhaber der *Artes* – man brauchte sich nur die Kunstwerke an den Wänden seines Hauses oder seines

Büros zu betrachten –, aber wenn es um Brot ging, durfte es nun einmal keine Zweideutigkeit geben, und außerdem hörte sich auch *artophil* wie ein Mischwort an. *Psomophil* erschien ihm ebenfalls unbefriedigend, da die alten Griechen *psomos* für ein Stückchen Brot oder Fleisch benutzten, doch ihr Zypriote, der dabei blieb, daß *psomi* Neugriechisch für Brot sei, legte auf. Das Wort wurde von dem Psomophilen akzeptiert, der bemerkte, an *Psomophilie* zu leiden klinge so herrlich dekadent.

An einem schönen Samstag im Herbst des Jahres 1980 verwandelte sich der Psomophile in einen angehenden Psomomanen. Er und seine Frau waren zum Brunch in das Haus eines Professors der Universität Berkeley eingeladen. Sie trafen ziemlich spät ein – eine romanische Angewohnheit. Ihr Gastgeber führte sie direkt zum Büfett und empfahl ihnen, sich zu bedienen, bevor sie die anderen Gäste kennenlernten. Gerade kam die Gastgeberin mit einem Korb herein. Unser überzeugter Anhänger der eßbaren Kunst bemerkte zwar, daß die Speisen auf dem Tisch schon ziemlich wüst aussahen, doch diesmal störten ihn die von den Gästen vor ihm begangenen Schandtaten nicht: die aus der Pâté gebohrten Trüffeln, die in den *Hummus* gefallenen Gurkenscheiben, ja nicht einmal die zerquetschten Reste der Butterröllchen. Seine Nasenflügel hatten zu beben begonnen wie die eines Mannes, der das Parfum einer Frau wittert. Auf den ersten Blick sah der warme runde Laib, den die Gastgeberin hereintrug, wie ein gewöhnliches Sauerteigbrot mit Kruste aus. Aber für sein geübtes Auge waren die äußerlichen Unvollkommenheiten des Brotes – die Art und Weise, wie die Ränder der mehrfachen Messereinschnitte gebräunt waren, oder der Umfang der subkutanen Blasen der Kruste – unverkennbare Beweise einer besonderen Note.

Das Aroma hatte eine Komponente, die er nicht identifizieren konnte, die ihm das Wasser im Munde zusammenlaufen ließ. Sobald die Gastgeberin den Korb auf dem Tisch abgestellt hatte, steuerte er mit einem gezuckten Brotmesser darauf los, um das unumgängliche Ritual zu vollziehen: nämlich das Endstück des Laibes abzuschneiden, weil es eine Höchstmenge an Kruste aufwies, den wahren Prüfstein des Könnens eines Bäckers, und dennoch genügend Krume, um Einblick in die Substanz des Brotes zu gewähren. Sobald er es probiert hatte, wußte er es. Es war Parmesan! Nur eine winzige Spur, aber himmlisch! Er sah sich rasch um und schnitt dann verstohlen das andere Ende des Laibes ab. Er bemerkte nicht, was er sich sonst noch zu essen genommen hatte; alles war nur Tarnung für das Brot.

Draußen auf der Terrasse gratulierte er seiner Gastgeberin zu ihrem Omelett, das er noch gar nicht probiert hatte, und zu dem Brot. »Wie sind Sie nur auf die Idee mit dem Parmesangeschmack gekommen? So subtil und dennoch unverwechselbar! Wo haben Sie ein solches Meisterwerk zu backen gelernt?«

»Sie sind der erste, der den Parmesan herausschmeckt. Das Lob gebührt jedoch nicht mir, denn ich habe das Brot von Alessandro.«

»Alessandro?«

»Das ist eine hiesige Bäckerei, Italiener der dritten Generation, die irgendwie San Franciscoer Sauerteig mit italienischer Backweise verbinden. Allerdings bakken sie dieses Brot nur samstags.«

Sie beschrieb ihm den Weg, so daß er Alessandros Bäckerei ziemlich mühelos fand. Das Schaufenster sah aus, als wäre es seit Tagen nicht geputzt worden; und bis auf ein paar einsame Backwaren – ein Tablett mit Brötchen, zwei oder drei Kuchen – war es leer. Doch für den erfahrenen Psomophilen sah der Laden vielversprechend aus. Es war offensichtlich, daß die meisten Waren verkauft worden waren und daß Zurschaustellung entweder vom Besitzer verschmäht wurde oder nicht notwendig war.

Eine blecherne Glocke schepperte, als er die Tür öffnete. Nach einer unverschämt langen Wartezeit kam ein älterer Mann in Jacke und Krawatte durch die Hintertür herein. »Ja?« war alles, was er sagte. Das Ersuchen des Psomophilen um einen Laib des speziellen Samstagsbrotes rief ein höhnisches Schnauben hervor. »Um ein Uhr dreißig?« fragte der Bäcker und deutete auf die Uhr an der Hand. »Das ist immer schon um zehn Uhr fünfzehn ausverkauft. Wir machen um zehn auf.«

Am darauffolgenden Samstagmorgen parkte ein livrierter Chauffeur im giftgrünen Jaguar des Psomophilen vor Alessandros Bäckerei und las eine Zeitung. Das Schaufenster war voller als in der Woche davor, aber immer noch nicht geputzt worden. Als die ersten Kunden vor der verschlossenen Tür erschienen, legte der Chauffeur seine Zeitung zusammen und stellte sich ebenfalls an. Punkt zehn wurde die Tür aufgesperrt. Fast ausnahmslos wurde »das Spezialbrot« verlangt.

Als der Chauffeur fünf Laibe verlangte, wurde ihm gesagt: »Zwei pro Person, wenn Sie nicht vorbestellt haben.«

In den folgenden Wochen wurde der Chauffeur zu

einem vertrauten Samstagskunden in der Bäckerei. Eines Morgens wurde der Chauffeur von seinem Arbeitgeber begleitet, der eine einfache Bitte vorbrachte. »Legen Sie mir jeden Samstag drei Laibe zurück, auch wenn der Chauffeur um zehn Uhr noch nicht da ist. Wenn ich mehr möchte, bestelle ich im voraus.« Der Bäcker wußte ein Kompliment zu schätzen, auch wenn es sich hinter einer Bestellung verbarg; und besonders, wenn die Bestellung für einen Monat ohne Bitte um eine Quittung bezahlt wurde. Dafür gab Alessandro unaufgefordert einen guten Tip: Wenn seine Laibe sofort eingefroren wurden, ließen sie sich nicht wochen- oder monatelang, sondern jahrelang aufbewahren und schmeckten dann immer noch wie frisches Brot, vorausgesetzt – der rechte Zeigefinger wurde zur Betonung erhoben –, daß man jeden Laib, fest in ein feuchtes Tuch gewickelt, langsam auftauen ließ. »Langsam«, wiederholte er und tippte dabei mit dem Finger auf das Kaschmirjackett, gleich unterhalb des seidenen Einstecktuchs, »und das Brot ja nicht heiß machen, bevor es vollständig aufgetaut ist. Und nicht wieder einfrieren.«

Ein paar Jahre lang ging Alessandros Samstags-Spezialität in der Küche des Hauses in Hillsborough nie aus. Gewöhnlich hatte der Psomophile einen der frischen Laibe schon wenige Stunden nach Ankunft des Brotes in seiner Küche verzehrt. Die übrigen Laibe wurden in der Mitte durchgeschnitten, die einzelnen Hälften luftdicht in Plastikbeutel verpackt und eingefroren. Das Auftauen mit Hilfe der Feuchten-Handtuch-Methode funktionierte wie versprochen, aber die garantierte »jahrelange« Haltbarkeit wurde von unserem Mann nicht auf die Probe gestellt.

An einem Samstag Ende des Jahres 1982 kam der Chauffeur mit drei Laiben und der Neuigkeit von Alessandro zurück, daß die Bäckerei für immer zumachte. Die Gründe waren rätselhaft – einige Kunden behaupteten, der Pachtvertrag sei abgelaufen, andere spielten auf einen plötzlichen Bruch zwischen dem älteren Alessandro und seinem Sohn an. Auf jeden Fall sollte der kommende Samstag der letzte Tag sein, an dem Alessandros Spezialbrot zu kaufen war.

Am Telephon erfuhr der Psomophile von Alessandro, daß es keine Frage des Geldes war, daß die Entscheidung unwiderruflich war, aber daß der Bäcker zu einer großzügigen Geste bereit war, wenn auch nicht zu der großzügigsten überhaupt: der Preisgabe des Rezepts für das Brot. Das war völlig ausgeschlossen; er war nicht einmal gewillt, die Herkunft des Parmesans zu verraten, abgesehen von dem Hinweis, daß nur eine einzige importierte Marke in Frage kam. Er war jedoch bereit, eine Sonderbestellung für einhundert Laibe seines Brotes entgegenzunehmen, die am letzten Tag des Bestehens seiner Bäckerei abgeholt werden könne. Alessandro bat nur darum, daß der Jaguar in der Gasse hinter dem Haus parkte und nicht vor Mittag auftauchte. Er erwartete eine Menge Stammkunden an diesem Morgen; einhundert Laibe vor ihren Augen abzugeben hätte seinen Ruf als unbestechlicher Geschäftsmann zerstört.

Der Jaguar traf um elf Uhr fünfzig in der Gasse ein. Der Psomophile trug einen dunkelblauen Anzug mit einer blau und schwarz gestreiften Krawatte, seiner Version eines Traueranzugs. Alessandro öffnete die Tür, sobald sich der Chauffeur und sein Arbeitgeber dem Hintereingang der Bäckerei näherten. Zwanzig oder mehr große weiße Papiertüten waren entlang der Wand aufgestapelt. »Sie haben nur fünfundneunzig Laibe bekommen.« Er war früher als üblich ausverkauft gewesen, und einige seiner ältesten Kunden waren so enttäuscht, daß er es einfach nicht übers Herz brachte, sie wegzuschicken. »Das macht Ihnen hoffentlich nichts aus. Aber ändern könnten Sie es ohnehin nicht«, setzte er mit einem schiefen Lächeln hinzu, denn noch hatte er das letzte Wort. Der Kofferraum des Jaguar war all diesem Brot nicht gewachsen; was nicht hineinpaßte, fuhr im Innern des Wagens und erfüllte ihn mit einem seltsamen Aroma aus Parmesan, britischem Leder und frisch gebackenem Brot.

Der Chauffeur, die Köchin, das Mädchen und der Hausherr machten sich ans Werk, alle Laibe bis auf fünf in drei Teile zu schneiden und jede Portion luftdicht in einen Plastikbeutel zu verpacken. Die fünf ganzen Laibe wurden für besondere Gelegenheiten aufbewahrt. Erst als das Brot bereit war, eingefroren zu werden, ging ihnen auf, daß 275 Pakete, darunter fünf ziemlich umfangreiche, die gesamte Tiefkühlkapazität der Küche beanspruchten. Ohne zu zögern wurde der Befehl erteilt, den derzeitigen Inhalt des Gefrierschrankes auszuräumen – Pfund um Pfund Steaks, Würste, Fisch, Süßspeisen, Eiskrem und diverse unbeschriftete Behälter, die der Köchin allesamt lieb und teuer waren. Sie begab sich unverzüglich zu Bett, um erst am Montagmorgen wieder zu erscheinen.

Der Psomophile beschloß, selbstsüchtig zu sein. Bis auf ganz wenige Ausnahmen sollte das Brot nur von ihm und seiner Frau verzehrt werden, und selbst sie würden sich auf eine einzige eingefrorene Portion pro Woche beschränken. In Anbetracht seiner häufigen

Reisen müßte der Vorrat für mindestens sechs Jahre reichen. Über diesen Zeitpunkt hinaus wollte er sich jetzt noch keine Gedanken machen.

Der Februar des Jahres 1986 war in San Francisco nachweislich der nasseste Monat seit achtzig Jahren. Die wolkenbruchartigen Regenfälle, ausgelöst von einer Reihe von Stürmen über dem Pazifik, waren von heftigen Windstößen begleitet, die Stromausfälle von noch nie dagewesener Dauer verursachten. San Francisco blieb relativ verschont, besonders das Geschäfts- und Hotelviertel in der Innenstadt; die meisten Leute in den dortigen Hochhäusern wußten gar nicht, was nur wenige Kilometer weiter nördlich, südlich oder östlich der City vor sich ging, wo die Stromleitungen weitgehend oberirdisch verlaufen. Kurz nach der Mittagspause unterbrach die Sekretärin unseres Mannes ihn bei einer Besprechung. Der Zettel, den sie ihm diskret zuschob, bezog sich auf eine Nachricht von seiner Frau, die ausrichten ließ, daß die Elektrizität in ihrem Haus seit zehn Uhr morgens unterbrochen sei; zum Abendessen könne es wohl nur ein kaltes Büfett geben. »Reservieren Sie eine Suite im Hotel Huntington«, sagte er, »und richten Sie meiner Frau aus, daß wir in der Stadt übernachten.« Ein Abendessen ohne Gäste in der Stadt, vielleicht gefolgt von einem Kinobesuch, war ein Luxus, den beide genossen, sich aber nur selten gönnten.

Der nächste Tag fing nicht gut an. Zum einen mußte unser Mann die gleichen Sachen anziehen, die er schon am Vortag getragen hatte, und dann war auch noch ein Klacks Marmelade auf seiner Krawatte gelandet und hatte einen Fleck hinterlassen, den er unter normalen Umständen niemals geduldet hätte. Und dann klingelte das Telephon. Das Mädchen rief aus Hillsborough an, um mitzuteilen, daß die Stromversorgung noch immer unterbrochen sei. Was sollten sie und die Köchin mit den auftauenden Eßwaren im Gefrierschrank machen?

»Ach, am besten gar nichts«, sagte er, doch bevor seine Frau dies weitergeben konnte, ging ihm die ganze Ungeheuerlichkeit der Botschaft des Mädchens auf: Das Brot, mindestens ein Dreijahresvorrat von Alessandros Spezialität! Ein Blick auf seinen Taschenkalender sagte ihm, daß er gegen elf Uhr nach Hause fahren konnte. Vielleicht war der Gefrierschrank so gut isoliert, daß das Brot noch gefroren war; vielleicht kam der Strom früher als erwartet wieder.

Die Lage war noch ernster, als er gedacht hatte. Im Autoradio hörte er, daß Bautrupps bis aus Nevada unterwegs waren, um bei den Reparaturen zu helfen; der Zeitpunkt der Wiederherstellung der Stromversorgung war nicht abzuschätzen. Während der Chauffeur auf dem Weg zur Schnellstraße durch einen der ärmsten Stadtteile fuhr, vorbei an billigen Absteigen, heruntergekommenen Hotels, mit Brettern vernagelten Gebäuden und an Gestalten, die sich in Torwegen zusammenkauerten, um nicht naß zu werden, dachte der Psomophile mißmutig an den schnell auftauenden, wenn nicht gar schon völlig aufgetauten Dreijahresvorrat an unersetzlichem Brot. Die Aussicht auf eine Brotorgie war kein Trost – wo sollte er vierzig oder fünfzig Gäste auftreiben, die bei diesem Regen in einem dunklen, kalten Haus Brot und Käse zu essen gewillt waren? Als der Jaguar an einer Verkehrsampel halten mußte, sah er eine Schlange verarmter Männer und Frauen, die sich an eine Hauswand drängten und darauf warteten, daß die Tür zur kostenlosen Essensausgabe der San Francisco Gospel Mission aufgemacht wurde.

Der Regen hatte am frühen Nachmittag aufgehört, aber es blies noch ein scharfer Wind. Den letzten groben Schätzungen zufolge sollte die Stromversorgung frühestens gegen Mitternacht wiederhergestellt sein. Der Chauffeur und das Mädchen luden das Brot in den Kofferraum des Jaguar. Sie hatten sich nicht damit aufgehalten, die rund 150 Stücke in nasse Tücher zu wickeln – das Brot war faktisch schon aufgetaut, bevor sie abfuhren; es war klar, daß es ohne weiteres gegessen werden konnte, wenn sie die Mission erreichten.

Der Chauffeur war merkwürdig still, als unser Mann auf Christus und Seine wundersame Brotvermehrung anspielte; er konnte sich nicht einmal ein Lachen abringen, als sein Arbeitgeber prahlte, daß Alessandros Brot vermutlich besser schmecke als Seines. Der Psomophile war von dieser biblischen Analogie derart angetan, daß er keinen Gedanken daran verschwendete, was für einen Eindruck seine Ankunft in einem Jaguar mit Chauffeur in dem armseligen Viertel machen würde. Der Fahrer dagegen dachte an nichts anderes. Seine schlimmsten Befürchtungen bestätigten sich, als der Wagen an der umgebauten Ladenfront anhielt und er die dumpfe Überraschung, gemischt mit Feindseligkeit, in den Augen der Menschen sah, die auf die Öffnung des Speiseraumes warteten. Außer den Kunden der Suppenküche lungerten auch Nichtstuer auf der Straße herum. Ein großer Prozentsatz von ihnen war schwarz und geselliger als die in der

Schlange Wartenden. Viele rauchten; zwei kräftige Schwarze tranken Bier. Alle starrten, und einige lachten, als der hochgewachsene Mann im Kamelhaarmantel und der uniformierte Chauffeur sich mit mehreren weißen Paketen beluden. Die beiden Männer gingen durch die Menge auf die Eingangstür zu, wo sie von einem nahezu zahnlosen alten Mann in schäbiger Kleidung aufgehalten wurden. »Die machen erst um fünf auf«, sagte er, ohne sich von der Stelle zu rühren. Der Chauffeur sah seinen Arbeitgeber finster an, dessen plötzliche Hilflosigkeit so gar nicht zu ihm paßte.

»Gestatten Sie«, murmelte der Psomophile und versuchte, sich an dem alten Mann vorbeizuschieben und an die Tür zu kommen, nur um dort festzustellen, daß er ja die Hände voller Brot hatte und somit nur seine Füße als Türklopfer blieben. Einige höfliche leichte Schläge zeitigten keine Reaktion. Der Chauffeur, dessen Geduld erschöpft war, drängte sich an dem alten Mann vorbei und trat wiederholt gegen die Tür, bis ein schmaler Jüngling in Blue Jeans und grauem Kittel sie einen Spalt breit öffnete. »Was zum Teufel …« begann er, verstummte jedoch abrupt, als ihm zwei Tüten aufgedrängt wurden.

»Nehmen Sie das und lassen Sie uns hinein.« Die gebieterische Schärfe dieser Worte genügte, die Männer einzulassen, woraufhin die Tür zugeschlagen wurde, bevor die nachdrängende Menge folgen konnte.

Als die Spende schließlich vom Leiter der Küche angenommen und die erste Ladung der Pakete geöffnet worden war, schwitzte der Chauffeur; sogar seinem Arbeitgeber standen Schweißperlen auf der Stirn. Als sie die zweite Ladung holen gingen, begleitet von dem jungen Mann, der die Tür geöffnet hatte, bot sich ihnen ein Anblick, der einer Szene aus einem Nachkriegsfilm glich.

Die beiden Schwarzen mit ihren Bierdosen hatten es sich auf der geneigten Motorhaube des Jaguar bequem gemacht wie auf einer Parkbank. Einige Männer lehnten an den Fenstern und Türen des Wagens – eine menschliche Collage auf Grün. Vier Personen, darunter eine unter Drogeneinfluß stehende Frau in einem zerrissenen Ski-Anorak und einer purpurfarbenen Wollmütze, lümmelten sich auf dem Kofferraum des Autos, dessen Heckscheibe der Frau als Kopfkissen diente. Der Chauffeur hatte nicht einmal Zeit, sich auf die ungebetenen Passagiere zu stürzen. Eine Handbewegung des jungen Mannes verscheuchte den wilden Haufen, woraufhin der Psomophile in den Wagen schlüpfte und schnell die Tür verriegelte.

Der Chauffeur und der junge Mann von der Mission schafften eine zweite Ladung Brot ins Haus. Sie waren gerade im Begriff, einen dritten Schub zu holen, als die Türen des Asyls aufgeschlossen wurden. Die Menge rund um den Jaguar verringerte sich unverzüglich, als die wartende Schlange der Männer und Frauen in den Speiseraum hineindrängte. Nur die zwei Biertrinker und ein paar Raucher, offenbar keine Stammkunden der Suppenküche, blieben beim Wagen. Zum ersten Mal empfand der Autoinsasse eine gewisse Erleichterung. Er wünschte sich inzwischen nur, daß der Fahrer wieder auftauchte, damit sie diese höchst ungaliläische Stätte schleunigst verlassen konnten. Doch der Mann, der aus der Mission geschossen kam, war nicht der Chauffeur. Es war der alte Mann, der ihnen ursprünglich den Weg versperrt hatte und der nun mit der Faust auf das Autofenster einzuschlagen begann. Als der Psomophile ihn verblüfft ansah, bemerkte er das Blut, das dem alten Mann aus dem Mund sickerte. Und er entdeckte, zwischen Daumen und Zeigefinger des Mannes, einen Zahn. Erst da ergab der Schwall von Obszönitäten, der ihn durch die schützende Hülle des Jaguar erreichte, einen Sinn: Der alte Mann hatte sich den Zahn an der harten Kruste von Alessandros Spezialbrot ausgebissen – das vermutlich ein wenig härter war als üblich, da man es nicht vorschriftsmäßig hatte auftauen lassen, aber nicht zu hart für die Zähne eines Bürgers von Hillsborough, der zweimal im Jahr den Zahnarzt aufsuchte. Plötzlich wurde ihm klar, daß das, was er an diesem Brot so schätzte – die harte Kruste, den ungewöhnlichen Geschmack und das ausgefallene Aroma –, den mit fadem pappigen Weißbrot aufgewachsenen Uneingeweihten auf Verderb schließen ließ.

Der alte Mann warf seinen Zahn an das Fenster, was einen schwachen und doch ausgesprochen ärgerlichen Klang auf der Scheibe verursachte, und rannte wieder in das Asyl. Die beiden Biertrinker auf der Kühlerhaube des Jaguar hatten aufgehört zu lachen. Zum ersten Mal ließen sie ein gewisses Interesse an einem der Kunden der Suppenküche erkennen. Wieder wurde die Tür des Asyls aufgerissen. Ein kleiner Mob, angeführt von dem alten Mann, der in jeder Hand ein Stück von Alessandros Brot hielt, stürmte auf den Wagen zu und begann ihn mit Brotgeschossen zu bombardieren, deren dumpfer Aufprall bis zur nächsten Straße widerhallte. Die Biertrinker ließen ihre Bierdosen stehen und sprangen von der Kühlerhaube. Die Frau mit dem roten Ski-Anorak hob einen der ganzen Laibe auf und warf ihn an die Tür, so daß sich der Mann im Wagen-

inneren instinktiv duckte. Inzwischen hatten die Biertrinker beschlossen, aus der Sache einen Sport zu machen. Einer von ihnen holte den runden Laib aus dem
Rinnstein und warf ihn seinem Kumpel zu, der seinen
Platz auf der Kühlerhaube wieder eingenommen hatte,
als das erste Bombardement aus Mangel an Munition
nachgelassen hatte. Lachend ließen die beiden Männer
ihren Brotball hin und her fliegen, hin und her.

Das Schauspiel dauerte höchstens zwei Minuten.
Gerade als die erste Angriffswelle ihren Rückzug in
den Speiseraum antrat, bahnte sich der Chauffeur einen Weg durch die Menge, schloß rasch den Wagen
auf und ließ den Motor an. Er hupte einige Male, doch
der gebieterische Ton machte keinen Eindruck auf den
Ballspieler auf der Kühlerhaube. Er legte den Brotlaib
zwischen seine Beine, beugte sich vor und sah den
Chauffeur durch die Windschutzscheibe an. »Fahren
Sie zu, James«, sagte er, doch es war unwahrscheinlich,
daß der Fahrer ihn hörte. Was dieser dagegen vernahm, war ein wütendes Knurren vom Rücksitz: »Verdammt noch mal, Lester, nun fahren Sie doch endlich
los.« Es war das erste Mal in ihren elf gemeinsamen
Jahren, daß unser Mann seinen Chauffeur beschimpft
hatte.

Als sich der Jaguar aus der Parkbucht schob, stieß
der Schwarze auf der Kühlerhaube einen Freuden-
schrei aus und hielt seine Brottrophäe hoch. Dutzende
von Fußgängern drehten sich um; in einem vorbeifahrenden Schulbus kreischten die Kinder bei dem Anblick vor Vergnügen. Keine fünfzig Meter weiter hielt
der Jaguar an einer roten Ampel an, und die menschliche Kühlerfigur sprang vom Wagen. Mit einer eleganten, abschließenden Handbewegung warf er den Laib

hoch in die Luft. Es gab einen dumpfen Aufschlag, als das Brot auf der Kühlerhaube des Jaguar landete, bevor es mitten auf die verkehrsreiche Straße kullerte. Vor den Augen unseres Mannes und des Chauffeurs wurde der Laib von einem vorbeifahrenden Lastwagen plattgedrückt.

Der Jaguar schoß davon, sobald die Ampel auf Grün umsprang. Erst da bemerkte unser Mann die großen Tüten, die neben dem Sitz des Chauffeurs standen, mit dem Brot, das gar nicht erst in die Suppenküche gebracht worden war. Eine plötzliche Welle der Übelkeit erfaßte ihn; es war klar, daß er nie wieder fähig war, die letzten kostbaren Reste von Alessandros Brot anzurühren. Es war sogar denkbar, daß der Psomophile nie wieder Brot aß.

Hokuspokus

Eines seiner Kunststücke verblüffte mich immer wieder. Er bat einen, eine Karte auszuwählen, ließ einen das Spiel mischen, nachdem man die Karte wieder hineingesteckt hatte, und forderte einen dann auf – freundlich, ein entschuldigendes Lächeln auf typisch japanische Weise hinter der vor den Mund gehaltenen Hand versteckt –, die Karten mit der Vorderseite nach unten auf dem Tisch auszubreiten. »Teilen Sie sie nun in zwei Häufchen«, sagte er dann mit einer Handbewegung über den verstreuten Karten, als würde er einen Kuchen in der Mitte durchschneiden. Nach kurzem Zögern schob er eines der Häufchen beiseite und bat einen, den Vorgang so lange zu wiederholen, bis nur noch zwei Karten auf dem Tisch lagen. Dann deutete er auf eine davon und forderte, ohne ein weiteres Wort, nur mit einer diskreten Geste, einen auf, sie umzudrehen. Jedesmal war es die Karte, die man ursprünglich ausgewählt hatte.

Professor Jiko Nishinaka war ein international bekannter Biochemiker und Entomologe, der es gewohnt war, vor einem großen Publikum aufzutreten. Er war ein vollendeter Künstler – nicht nur als wissenschaftlicher Referent, sondern auch als Amateurzauberer. »Amateur« war nicht ganz der richtige Ausdruck: Er verlangte zwar kein Geld für seine Darbietungen, aber sie waren ungeheuer gekonnt. Sein Repertoire umfaßte alles, von einfachen Taschenspielertricks – aus Ohren gezogene Münzen, verschwindende Tücher, alles außer dem sprichwörtlichen weißen Kaninchen – bis hin zu phänomenalen Kartenkunststücken.

Diesmal handelte es sich jedoch nicht um einen gewöhnlichen Vortrag. Das Publikum war klein: sieben Personen, alles Männer, die zu Kaffee und Kuchen zusammengekommen waren, nachdem sie Nishinaka die diesjährige Bowman-Vorlesung hatten halten hören. Nishinaka machte sich erst einmal warm. Er mischte das Kartenspiel mit einer Geschwindigkeit und einem Geraschel, die einem Blackjack-Croupier in Las Vegas zur Ehre gereicht hätten.

»Schnell! Nehmen Sie eine und denken Sie nicht lange darüber nach. Stecken Sie sie jetzt wieder zurück«, sagte er, ohne unseren Gastgeber aus den Augen zu lassen. Dann legte Nishinaka die Karten rasch zu einem großen Fächer aus.

»Denken Sie jetzt immer an die Karte, die Sie ausgesucht haben«, erinnerte er unseren Gastgeber, während er eine Karte nach der anderen berührte. Plötzlich hielt er inne, eine Karte zwischen Daumen und Zeigefinger.

»Es war Pik, stimmt's?« Für mich hörte es sich eher wie eine Feststellung an, doch unser Gastgeber faßte es als Frage auf. Er nickte.

»Dann ist es diese«, sagte Nishinaka und schnippte die Pikzwei auf den Tisch. Er quittierte den Ausruf »Das ist sie!« mit einem bescheidenen Achselzucken: »Man braucht dazu nur Übung.«

Die Reaktion der Gruppe war typisch für Akademiker und besonders für Männer, die von sich behaupten, von Berufs wegen Antwortsuchende zu sein. Mehrere Erklärungen wurden präsentiert – alle in der dritten Person, als wäre Nishinaka unsichtbar geworden.

»Ich wette, daß er das Spiegelbild der Karte in Gilberts Pupille gesehen hat. Haben Sie nicht bemerkt, wie er ihn angestarrt hat?«

»Vielleicht sind die Karten irgendwie gekennzeichnet – schließlich sind es seine Karten.«

»Es könnte ein Fingerabdruck gewesen sein. Haben Sie gesehen, wie er nach dem Mischen jede Karte geprüft hat?«

Ich grinste wie ein Impresario – schließlich hatte ich Nishinaka für die diesjährige Bowman-Vorlesung vorgeschlagen –, bis mir auffiel, daß einer der Männer stumm geblieben war: unser Nobelpreisträger, der Neurobiologe. Er war zu dem Vortrag gekommen, weil er den Vorsitz im Verleihungskomitee dieser renommierten Auszeichnung führte, die eine Medaille und ein stattliches Honorar einschließt. Außerdem interessierte ihn Nishinakas Thema: »Sensorische Wahrnehmung und Kommunikation unter Wirbellosen«. Aber der Grund, weshalb er nach dem Dinner geblieben war, war schlicht und einfach Neugier. Bei der Sitzung des Bowman-Komitees hatte ich en passant Nishinakas phänomenale Kartentricks erwähnt. Nishinaka wäre zusammengezuckt, wenn er mich das Wort »Tricks« hätte benutzen hören – er betrachtete diese Bezeichnung als abfällig –, aber er war ja nicht anwesend, als ich mit ihm angab.

»Ich schlage vor, daß wir Professor Nishinaka trotz derart unwissenschaftlicher Empfehlungen einladen«, hatte unser Nobelpreisträger eingeworfen, »und daß dieses Komitee nach Tisch eine Untersuchung der extrasensorischen Wahrnehmung unter höheren Wirbeltieren durchführt.« Er hatte mir zugeblinzelt, doch statt zurück zublinzeln, hatte ich den Blick gesenkt. Mir war plötzlich etwas mulmig geworden.

Unser Nobelpreisträger war gewöhnlich *primus inter pares*, und diesmal spielte er seine Rolle voll aus.

»Professor Nishinaka, das war durchaus geschickt«, sagte er mit seinem gefährlichen hinterhältigen Lächeln, das ich bei vielen wissenschaftlichen Vorträgen gesehen hatte. Der Redner erwartete ein Kompliment, doch statt dessen war es die Einleitung zu einer Frage, unschuldig im Ton, aber verheerend, was den Inhalt betraf. Den Blick auf uns statt auf Nishinaka gerichtet – als wollte er sagen: »Paßt mal auf, wie ich den kleinkriege« –, fragte er: » Müssen Sie die Karten anfassen?«

»Nein.«

»Müssen Sie anwesend sein, wenn die Karte ausgewählt wird?« fuhr er fort.

Nishinaka zögerte. Er war an Fragen nach seinen Auftritten gewöhnt, aber in der Regel waren es keine Kreuzverhöre. »Nein, eigentlich nicht«, erwiderte er nach einer Pause.

»Nein? Was müssen Sie *dann* tun?«

Die Antwort kam prompt: »Sie müssen bereit sein, sich auf die Karte zu konzentrieren, während ich Ihnen in die Augen sehe; Sie sollten einfach an die Karte denken und nicht versuchen herauszubekommen, wie ich es mache.«

Auf dem Gesicht unseres Nobelpreisträgers lag ein feines Lächeln, als er sich an unseren Gastgeber wandte: »Gilbert, haben Sie Karten im Haus?«

Nishinaka errötete, noch bevor unser Gastgeber antworten konnte. Der tiefere Sinn der Frage war klar, doch er ließ sie durchgehen.

»Ja«, sagte unser Gastgeber. »Vielleicht haben wir sogar ein neues Spiel. Ich bin gleich wieder da.«

Die Karten befanden sich noch in ihrer Plastikhülle.

»Danke«, sagte der Nobelpreisträger und stopfte die aufgerissene Hülle in den leeren Aschenbecher. »Und jetzt, Professor Nishinaka, wären Sie wohl so freundlich, sich kurz zurückzuziehen?«

Sobald Nishinaka hinausgegangen war, erhob sich der Nobelpreisträger und ging in eine Ecke des Wohnzimmers. Vor unser aller Augen teilte er das Spiel vorsichtig, indem er die Karten mit den Fingerspitzen an den Rändern hielt – wie jemand, der einen Stapel heißer Teller handhabt. Es war klar, daß es ihm darauf ankam, keine Fingerabdrücke zu hinterlassen und auch keinen von uns sehen zu lassen, welche Karte er ausgesucht hatte. Er mischte langsam und umständlich. Doch niemand spottete, niemand sagte etwas. Wir alle begriffen, daß wir einem Wissenschaftler zusahen, der eine weitere Versuchsvariable eliminierte: einen feuchten Fingerabdruck auf der unberührten Oberfläche der funkelnagelneuen Karte.

Der Nobelpreisträger kehrte zu seinem Platz zurück und legte den Pack Karten direkt vor sich auf den Tisch. »Würde bitte einer von Ihnen den Mann rufen?«

Als ich das Zimmer verließ, klang mir noch die Stimme des Nobelpreisträgers in den Ohren – der Gegensatz zwischen seinem früheren »Professor Nishinaka« und dem verächtlichen »Mann«, das er gerade benutzt hatte. »Jiko«, sagte ich und klopfte ihm auf die Schulter, »sie warten auf Sie. Viel Glück.«

»Danke«, war alles, was er sagte, sein Ausdruck eine unbewegte Maske.

»Professor Nishinaka«, verkündete der Nobelpreisträger, noch bevor ich die Tür zugemacht hatte, »ich bin der einzige, der die Karte aus diesem Stapel hier auf dem Tisch gesehen hat.« Er machte eine Kopfbewegung in Richtung des säuberlich gestapelten Packs. »Welche habe ich ausgesucht?«

Die Frage wurde mit so uncharakteristischer Grobheit gestellt, daß ich insgeheim leise Besorgnis verspürte; als wollte er sagen: »Sie werden es doch gar nicht erst versuchen, stimmt's? Sie können doch überhaupt nicht erraten, welche Karte ich ausgewählt habe, stimmt's?«

Mich beeindruckt immer wieder, wie Japaner unbequeme Stellungen einnehmen und scheinbar unerträglich lange Zeit beibehalten können. Nishinaka, der für einen Japaner außergewöhnlich groß war, ging rasch in die Hocke, um dem Nobelpreisträger direkt in die Augen sehen zu können. Er war so nah, daß sein Gegenüber sich unwillkürlich im Sessel zurücklehnte. Es herrschte gespannte Stille, als wir anderen uns um die beiden Männer gruppierten. Sie erinnerten mich an sprungbereite Ringkämpfer. Nishinaka sagte nichts. Er hing an den Augen des Nobelpreisträgers wie ein Magnet an einer Eisenstange.

Nach einer beunruhigend langen Stille schüttelte Nishinaka langsam den Kopf. »Es ist keine Zahlenkarte«, murmelte er, als spräche er zu sich selbst. »Nein, bestimmt nicht. Habe ich recht?« fragte er etwas lauter, an seinen Herausforderer gewandt.

»Ganz recht«, lautete die barsche Antwort.

Das Kopfschütteln wurde entschiedener, der leise Monolog noch zögernder. »Ich kann sie nicht erkennen, es ist nicht die Dame, es ist nicht der König ... es ist kein Bube ... nicht das As ... es ist eine schwarze Karte ...«

Die Augen des Nobelpreisträgers hatten einen harten Ausdruck angenommen, seine Lippen waren fest aufeinandergepreßt; er sagte nichts.

Ich hatte immer angenommen, daß hinter Nishinakas Kartenkunststücken irgendein Trick steckte und daß mein Bekannter eines Tages bloßgestellt werden würde. Aber diesmal war ich voll und ganz auf seiner Seite – ich fühlte mich wie sein Promoter, sein Trainer im Ring, vor einem leicht feindseligen Publikum. Ich wollte, daß mein Mann gewinnt. Komm schon, drängte ich ihn im stillen, es muß der Joker sein. Mann Gottes, so sag doch endlich was!

Auf mich wirkte Nishinakas Konzentration schon fast peinlich. Seine Stirn war feucht; ich hätte ihm gern mein Taschentuch angeboten. »Ich verstehe das nicht«, murmelte er. »Es ist keine Zahlenkarte, kein Bild ... es ist nicht der Joker ...«

Wenn es nicht der Joker ist, dachte ich, was zum Teufel bleibt dann noch?

» ... So eine Karte habe ich noch nie gesehen ... sie ist schwarz ... es steht etwas darauf geschrieben ... aber ich kann es nicht lesen.« Plötzlich stand er auf, so daß er uns alle überragte, die wir um den niedrigen Couchtisch saßen. Er klang verärgert, nicht geschlagen. »Zeigen Sie mir die Karte«, befahl er schroff.

Ich schaute den Nobelpreisträger an. Sein Gesicht war gerötet, als er nach dem Kartenhäufchen griff und es langsam durchsah. Endlich fand er die Karte. Er starrte sie kurz an, warf sie dann – mit der Vorderseite nach oben – auf den Tisch und verließ abrupt das Zimmer.

Alle Männer außer Nishinaka beugten sich vor, um die Karte zu betrachten. Als ich sie sah, war ich erstaunt. »Jiko, Sie hatten recht. Das ist eigentlich gar keine Spielkarte; es ist nur eine Werbung für diese Karten-Marke. Sie stecken sie in alle neuen Spiele, bevor sie verpackt werden.«

Nishinaka blickte mich nur flüchtig an. Was ich in seinem Gesicht sah, war weder Triumph noch Freude. »Kein Wunder, daß ich den Mann nicht lesen konnte«, stieß er hervor, »seine Mißgunst kam mir ständig in die Quere.«

Maskenfreiheit

Ich lese sehr schnell, ich überfliege geradezu. Ich ackere nie die Unterlagen durch, bevor die Aufsichtsratssitzung beginnt; ich gehe sie rasch durch, während Rodney Hohmann, der Finanzchef der Firma, sich noch räuspert und mit seinen Papieren herumhantiert. Ich bin fertig, bevor er noch ein Zehntel seines Berichts präsentiert hat; dann bin ich mit meinen »Außenseiter«-Fragen bereit, die die »Insider«-Direktoren, die auch der Geschäftsführung angehören, ernst nehmen müssen, ob es ihnen paßt oder nicht. Ich möchte keinesfalls, daß meine Direktorenkollegen herausbekommen, wie wenig ich mich vorbereite, doch an diesem Morgen merkte ich, daß ich mit absoluter Aufmerksamkeit büßen mußte, denn ich hatte die Sitzungsmappe zu Hause gelassen.

Leider ist Rodney ein furchtbar langweiliger Redner. Nach kurzem Kampf ließ ich meine Gedanken zum vorhergehenden Abend zurückwandern, zu dem Essen mit Sylvia, die in Berkeley studierte. Sylvia mochte Deutsch, hatte sie gesagt, weil sich Substantive leicht zu neuen zusammensetzen ließen, die, auch wenn sie in keinem Lexikon stehen, »absolut koscher« seien. Diese Ad-hoc-Zusammensetzungen seien eine prägnante Methode, komplizierte Begriffe auszudrükken, für die man im Englischen mindestens einen Satz brauchte. »Nimm nur mal das Wort ›Maskenfreiheit‹«, verkündete sie mit einer Spur aggressiver Belustigung. »Heine wollte die Freiheit beschreiben, die man durch das Tragen einer Maske erlangt, also hängte er einfach die Wörter ›Masken‹ und ›Freiheit‹ aneinander. Oder ein anderes Beispiel: Lebensweisheitspielerei.«

»Ja und?«

»Das«, sagte sie, »wurde von dem amerikanischen Dichter Wallace Stevens benutzt!«

»Ah«, sagte ich, da ich mich dunkel an etwas aus meiner Schulzeit erinnerte, »*The Emperor of Ice Cream.*«

»Daddy, alle Welt kennt *The Emperor of Ice Cream!* Aber nicht ›Lebensweisheitsspielerei‹ – du solltest das mal nachschlagen.«

Ich bin ziemlich stolz auf meine Tochter; aber nach dem Dessert versuchte ich doch, meine Würde wiederzugewinnen. Ich fragte so unschuldig, wie ich konnte: »Führt ›Maskenweisheitsspielerei‹ denn nicht zu ›Lebensfreiheit‹?«

»Was hast du gesagt?« Sylvia klang ausgesprochen mißtrauisch.

Ich beschloß, die Pointe selbst zu liefern: »Die mit dem Tragen einer Maske verbundene weise Spielerei führt zur Freiheit im Leben, richtig?«

»Papa!« rief sie aus – sie nennt mich sehr selten Papa – und fiel mir um den Hals. »Ausgezeichnet! Du bist genau wie ich. Wenn ich etwas wissen will, dann gehe ich der Sache auf den Grund. Hast du gewußt, daß ich mich für die Geschichte der Maskerade zu interessieren begonnen habe? Ich habe mit Byrons Briefen aus Venedig angefangen. Du mußt unbedingt einige davon lesen.« Und dann setzte sie mir auseinander, daß die Venezianer nicht nur Masken trugen, um ihre Identität zu verbergen; jedermann war sich darüber im klaren, daß in einer solchen Verkleidung die Grenzen der gesellschaftlichen Konvention ungestraft übertreten werden durften. »Weißt du, Papa«, sagte Sylvia und rückte ihren Stuhl dichter an meinen, »wenn jemand in Venedig seine Maske nicht bei sich hatte, konnte er sich ein kleines Emblem anstecken, um anzudeuten, daß er betrachtet werden wollte, als würde er eine Maske tragen. Wenn seine Freunde dieses Zeichen sahen, dann taten sie prompt so, als würden sie ihn nicht erkennen!«

Daran mußte ich denken, während sich Rod Hohmanns Bericht mühsam dahinschleppte. Hinter meiner Direktorenmaske war meine Nicht-Direktor-Persönlichkeit *off limits*. Zum ersten Mal in meinen zwei Jahren im Aufsichtsrat sah ich mir die anderen Männer genauer an. Sechs weiße Hemden (einschließlich meines eigenen), zwei blaue und ein lohfarbenes Sporthemd (Robert Claxtons). Fünf mit dunkelroten Krawatten, in die dezent das Firmenlogo eingewebt war – ein Weihnachtsgeschenk an alle Direktoren; drei gestreifte Countess-Mara-Krawatten und ein Krawattenschal. Mir wurde klar, daß ich Bob Claxton noch nie mit einer Krawatte gesehen hatte. Rollkragenpullover im Winter, offene Hemden mit Krawattenschal – oder gelegentlich auch ohne – den Rest des Jahres über. Sechs Brillen, fünf mit Horn-, Silber- oder Goldfassung, eine (Claxtons) randlos und mit den Ohren durch sehr dünne elastische Bänder verbunden – vermutlich Katgut oder ein kräftiger Seidenfaden –, die praktisch unsichtbar waren, beinahe wie ein Kneifer.

Das faktische Fehlen von Ringen überraschte mich. Außer dem Vorsitzenden, der einen kleinen Siegelring am kleinen Finger trug, und mir mit meinem Ehering waren alle Direktoren unberingt. Ich hatte angenommen, daß die meisten verheiratet seien, aber warum? Unsere Gespräche hatten sich nie dem Thema Familie zugewandt. Alles, was ich von den anderen wirklich wußte, war das, was ich im jährlichen Geschäftsbericht gelesen hatte: Alter, Ausbildung, Aktienbesitz, Beruf, andere Aufsichtsratsposten. Sie waren Fremde, in mittleren Jahren oder älter, obwohl sie mich – und ich sie – mit dem Vornamen anredeten, als würden wir uns seit Urzeiten kennen.

Claxton war eindeutig der Exzentriker unter uns. Und sein Verhalten war noch exzentrischer. Wir übrigen konzentrierten uns auf Hohmanns Ausführungen oder taten wenigstens so. Zwei malten Männchen, und einer hatte Mühe, sein Gähnen zu unterdrücken, aber das war gängiges Direktorenverhalten. Claxton schrieb ununterbrochen auf seinem Stenoblock und sah nur hin und wieder zu Hohmann auf, wie um eine spezielle Formulierung mitzubekommen. Er saß mir gegenüber, an der unteren Rundung des Ovals, den linken Ellbogen auf dem Tisch und die Wange in der Hand, um den Block völlig von seinem Nachbarn zur linken abzuschirmen. Alle anderen blickten zum Redner am anderen Ende des Tisches; ich war der einzige, der Claxton beobachtete. Jedesmal, wenn er aufsah, schloß ich die Augen. Bei Aufsichtsratssitzungen wird im Zweifelsfalle immer zugunsten des Betreffenden entschieden: Geschlossene Augenlider sollen höchste Konzentration andeuten.

Ich merkte, daß ich keinen blassen Schimmer hatte, worüber Hohmann gesprochen hatte. Ich hatte weder zugehört noch mir vorher die Unterlagen angesehen. Ich beschloß, Claxtons Sitzungsmappe auszuleihen und schob ihm daher einen Zettel zu. Er sah kaum von seiner Schreibmappe auf, während er die Mappe über den Tisch reichte. Als ich sie, auf der Suche nach dem Finanzbericht, durchblätterte, stieß ich auf zwei lose Blätter. Der erst Satz sprang mir geradezu ins Gesicht: ·

»Nun, Nicholas, wie lautet Ihre Definition für Freundschaft?«

Ich hielt inne und warf einen schnellen Blick auf Bob. Sein Kopf war über die Seite gebeugt, die er gerade in hohem Tempo vollschrieb. Ich hielt die Sitzungsmappe im schrägen Winkel, damit weder Claxton noch Dan Lazare zu meiner Rechten sehen konnten, was ich da las.

Wie meine Definition, Nicholas Kahnweilers Definition, eines Freundes lautet? Ist das Wort geschlechtsneutral? Besteht ein Unterschied zwischen einem Freund mit Eierstöcken und einem Freund mit Hoden? Aber selbstverständlich! Wie also lautet meine Definition eines Freundes männlichen Geschlechts? Mir ist soeben eine eingefallen, aber ich werde sie ihm noch nicht verraten, sie könnte ihn aus dem Konzept bringen. Sie lautet schlicht: Ein Freund ist ein Mensch, in dessen Gegenwart du weinen kannst, den deine Tränen nicht verlegen machen. Schon ein paar Tränen zu vergießen ist von Bedeutung, aber was wirklich zählt, ist Weinen, richtiges Weinen. Habe ich jemals in Gegenwart eines Mannes geweint? Ich kann mich nicht daran erinnern. Natürlich sind mir schon Tränen in die Augen gestiegen – besonderst im Theater –, aber wann habe ich je geweint?

Ich habe nie vor Maja geweint – nur im stillen Kämmerlein, nachdem sie mich verlassen hatte. Worüber ich damals wirklich geweint habe, war das Desaster unserer Ehe, was sie hätte sein können, aber nie wurde. Aber das zählt nicht, das ist genau der Punkt, um den es mir hinsichtlich von Freunden geht. Im stillen Kämmerlein zu weinen ist eine physiologische Reaktion oder ein Ausdruck von Selbstmitleid. Ein Erwachsener, der vor einem anderen Erwachsenen weint, ist – nein, nicht »ist«, sondern »kann sein« – eine Form des Sich-Enthüllens, auf die sich Männer selten einlassen. Gesetzt den Fall, jemand berührt dich, während du weinst, dann genügt schon eine Hand auf deiner Schulter.

Der Mann unterbrach Kahnweilers Überlegungen. »Nick, wenn Ihnen keine Definition einfällt, wie wäre es dann mit: ein Mensch, dem Sie rückhaltlos vertrauen können?« Ich sollte lieber aufhören, Selbstgespräche zu führen. »Sagen Sie«, antwortete ich laut, »vertrauen Sie vielen Freunden?«

Eine seltsame Mischung aus Verlegenheit und Neugier hinderte mich daran, Claxton anzusehen. Hohmann hatte seine Ausführungen beendet, und die Gruppe hatte sich etwas weitaus Aufregenderem zugewandt: einer möglichen Firmenübernahme. Sogar Claxton hatte mit dem Schreiben aufgehört. Ich schloß die Sitzungsmappe und schob sie ihm mit einer Geste und einem Lächeln zu. Er nickte.

Die Debatte wurde lebhaft, doch ich konnte mich nicht auf das Thema konzentrieren. Claxton saß da und stellte Fragen, als hätte er nie an etwas anderes gedacht. Wie konnte er nur derart schnell umschalten? Was für eine Beziehung bestand zwischen den beiden Seiten, die ich gerade gelesen hatte, und dem, was er bis vor ein paar Minuten geschrieben hatte?

Der Vorsitzende verkündete die übliche Kaffee-Toiletten-Zigarettenpause. Ich erkannte, daß jetzt Gelegenheit für etwas Maskenfreiheit-Forschung war.

»Bob«, sagte ich, »bleiben Sie über Nacht in der Stadt?«

»Ja«, erwiderte er. »Warum fragen Sie?« Das war wohl das persönlichste Gespräch, das wir je geführt hatten, seit er in den Aufsichtsrat gekommen war.

»Nun, ich dachte, falls Sie heute abend nichts vorhaben, würde ich Ihnen vorschlagen, mit mir und Hilary bei uns zu essen.«

»Bei Ihnen?« Es herrschte verlegene Stille. Schließlich sagte er: »Tja, das ist sehr nett von Ihnen.« Ich fragte mich, ob Neugier oder Einsamkeit ihn veranlaßt hatte anzunehmen. Oder war er nur höflich?

Claxton klingelte Punkt sieben, als hätte er mit der Uhr in der Hand vor der Tür gestanden. Als ich an die Haustür kam, machten sich Hilary und Bob bereits miteinander bekannt. Sie hielt eine eingewickelte Flasche Wein in der Hand.

»Sollen wir sie zum Abendessen aufmachen?« fragte sie.

»Ganz wie Sie wünschen.« Er klang förmlich und ungeduldig zugleich, als wollte er alle gesellschaftlichen Vorreden schleunigst hinter sich bringen. Während Hilary noch in der Küche war, wanderte Claxton im Wohnzimmer herum wie ein Kommissar, der eine kulturelle Beurteilung vorzunehmen hat. Die Bilder an den Wänden entlockten ihm keinen Kommentar, doch dann zog er ein Buch aus dem Regal. »Hat Ihnen *Herzog* gefallen?«

»*Herzog*?« Er reichte mir das Buch.

»Tut mir leid, ich hab es nicht gelesen.«

»Haben Sie sonst etwas von Bellow gelesen?« fragte er weiter.

»Nein.«

»Aber Sie haben doch mehrere Bücher von ihm.« Er deutete auf eines der Regale. »Warum haben Sie sie denn dann hier?«

»Hilary und Sylvia, meine Tochter, sind die Romanleser der Familie«, antwortete ich.

»Und was lesen Sie so?« Claxton betonte das zweitletzte Wort, was irgendwie spöttisch klang. Ich wollte schon protestieren, als Hilary zu Tisch bat.

Als wir mit dem Salat anfingen, sagte Hilary: »Mister Claxton, mein Mann hat mir nichts weiter über Sie erzählt, als daß Sie im gleichen Aufsichtsrat sitzen.«

»Wissen Sie, Bob«, warf ich ein, »wir haben kaum miteinander gesprochen, seit ich nach Hause gekommen bin.«

Claxtons Antwort bestand aus einem matten Lächeln.

»Wie lange kennt ihr beiden euch eigentlich schon?« fuhr meine Frau fort.

»Über ein Jahr, stimmt's, Bob? Wenn ich mich recht erinnere, sind Sie im letzten Dezember in den Aufsichtsrat eingetreten.«

»Ich habe das Gefühl, daß Ihre Frau eine präzisere Antwort möchte, Oliver.« Das Lächeln, mit dem er sich an Hilary wandte, hatte etwas Gekünsteltes. »Oliver und ich kennen einander insgesamt etwa sechzehn Stunden. Das stimmt doch, Oliver? Unsere Aufsichtsratssitzungen dauern eigentlich nie länger als vier Stunden.«

Ich wußte, daß das die Art Antwort war, die Hilary schätzte: präzise, aber mit einer Spur Schnodderigkeit.

»Sag mal, Oliver«, begann Hilary. Gewöhnlich nennt sie mich »Ollie«. »Oliver« machte mich mißtrauisch. »Wieviel erfährt man bei diesen Sitzungen eigentlich wirklich über einander? Mein Mann gehört einer ganzen Reihe von Aufsichtsräten an«, sie hatte sich wieder Claxton zugewandt, »aber gewöhnlich spricht er nicht darüber, was da vor sich geht.«

»Gratuliere!« Der Ausruf galt mir; Claxtons Wärme überraschte mich.

»Kann man sich in sechzehn Stunden, verteilt über ein Jahr, überhaupt kennenlernen?« bohrte Hilary weiter.

»Nein, wir sind Venezianer. Wir tragen Masken bei unseren Sitzungen.« Ich hatte geistreich sein wollen, merkte jedoch, daß die Aufmerksamkeiten, die Sylvia am Abend zuvor Papa erwiesen hatte, mich hatten vergessen lassen, daß auch Mama bei dem Vortrag zugegen gewesen war.

»Gehören diese Masken zu den Direktorenzulagen?« fragte Hilary.

Claxton schien munterer zu werden. »Das ist eine sehr gute Frage. Ich bin sicher, daß die meisten von uns bei diesen Sitzungen Masken tragen. Ich tue es jedenfalls.«

»Habt ihr euch nie gefragt, was hinter diesen Masken steckt?« Die Herausforderung war an uns beide gerichtet.

Wieder antwortete Claxton zuerst. »Gelegentlich schon.«

»Und bei der heutigen Sitzung?«

»Nein, heute nicht.«

Ich weiß nicht, was mich zu der Äußerung veranlaßte: »Bob war mit Schreiben beschäftigt.«

Er warf mir einen kurzen, forschenden Blick zu. »Das ist Ihnen aufgefallen?«

»Ich konnte gar nicht anders«, sagte ich. »Sie saßen mir direkt gegenüber, und Sie haben die meiste Zeit geschrieben.«

»Haben Sie sich gefragt, was ich da schreibe?«

»Ja sicher.« Ich versuchte, beiläufig zu klingen. »Sie haben die ganze Zeit auf diesen merkwürdigen Block geschrieben.«

»Merkwürdig?«

»Na ja«, entgegnete ich, »es war ein Stenoblock, und wir hatten alle gelbe Blöcke vor uns liegen. Ich dachte mir, daß Sie sich bestimmt nicht ständig Notizen zu Hohmanns Ausführungen machten. Dazu waren sie einfach zu langweilig.«

Claxton zupfte an den Bändern seiner Brille. »Oliver, sagt Ihnen der Name Kahnweiler etwas?«

Ich werde selten rot, aber nun spürte ich, wie mir das Blut ins Gesicht schoß. »Hm, da muß ich nachdenken«, sagte ich und erhob mich von meinem Stuhl. »Hilary, ich räume schon mal die Salatteller ab und hole den Braten. Du unterhältst inzwischen unseren Gast.«

Die kurze Spanne genügte, um meine Röte zu vertreiben; die Folge dessen, so überlegte ich, vor Zeugen die Maske vom Gesicht gerissen zu bekommen. Ich hatte dadurch Zeit, mir eine plausible Antwort auf die Kahnweiler-Frage zurechtzulegen.

»Sie haben nach Kahnweiler gefragt, Bob«, sagte ich mit einer Stimme, die zu verstehen gab, daß dies eine einfache, alltägliche Frage war. »War das nicht Picassos erster Kunsthändler? Ich vergesse immer seinen Vornamen. Hieß er nun Daniel-Henry oder Henry-Daniel?«

»Daniel-Henry«, warf Hilary ein. Doch dann fuhr sie fort: »Ollie sammelt Esoterika. Merkt man das bei Ihren Sitzungen nicht?«

»Na ja«, Bobs Lächeln wirkte ziemlich gequält, »er stellt tatsächlich eine Menge detaillierter Fragen, aber sie scheinen sich immer um geschäftliche Angelegenheiten zu drehen. Nichts Esoterisches, soweit ich mich erinnern kann. Aber erzählen Sie mir doch etwas über Ollies Sammelleidenschaft.«

»Ollie sammelt keine *Dinge*«, sagte Hilary, gerade so, als ob ich abwesend wäre, »sondern Informationen. Manchmal denke ich, er hat ein riesiges Nadelkissen, in das er all diese obskuren Einzelheiten steckt. Ich habe das Gefühl, daß diese Stecknadelköpfe Mikrochips enthalten, die eine Menge Informationen speichern können. Im richtigen Moment zieht Oliver einfach eine Nadel heraus und steckt sie in seinen Computer.« Sie tätschelte meinen Kopf, etwas herablassend, wie ich fand.

»Jetzt sind Sie an der Reihe, Mister Claxton«, fuhr Hilary fort. »Was haben Sie heute morgen denn geschrieben«

»Sagen Sie«, erkundigte er sich bei Hilary, als ob er ihre Frage nicht gehört hätte, »haben Sie viele Freunde?«

»Ja, ich glaube schon«, erwiderte sie vorsichtig. »Aber warum fragen Sie?«

»Intime Freunde?«

»Ja. Manche sind intime Freunde.« Hilary wurde allmählich ungehalten.

»Sowohl Frauen als auch Männer?«

Ich sah Hilary an, die begonnen hatte, rot zu werden. »Hauptsächlich Frauen.«

»Was ist mit Oliver?«

»Oliver? Das ist mein Mann.«

»Das ist mir bekannt«, sagte Claxton. »Aber Ehemänner oder Ehefrauen sind nicht unbedingt intime Freunde.«

»Sagen Sie, Mister Claxton, sind Sie verheiratet?« Die gute alte Hilary ging zum Angriff über.

»Nein«, antwortete er ruhig. »Ich bin geschieden.«

»Ich verstehe«, sagte Hilary, als spräche sie zu einem Zeugen vor einem Geschworenengericht und hätte gerade erreicht, was sie wollte. »Kinder?«

»Zwei.«

»Wie alt?«

»Sind es Jungen oder Mädchen?« warf ich ein. Ich hatte keine Ahnung, worauf Hilary hinauswollte, aber ich konnte zumindest so tun, als wüßte ich es.

»Beides Mädchen. Achtzehn und einundzwanzig.«

»Sind sie Ihre Freunde?« Hilary beruhigte sich wieder.

»Ja, das würde ich schon sagen.«

»Intime Freunde?«

»Das hängt vermutlich davon ab, wie man Intimität definiert«, konterte er.

»Und wie definieren Sie Intimität, Mister Claxton?«

»Das ist eine gute Frage, nicht wahr, Oliver?« Bob hatte seinen Tonfall nicht verändert.

»Nun ja, es ist eine ziemlich komplizierte Frage«, sagte ich. Aber Hilary kam mir zu Hilfe.

»Kommt schon, ihr beiden. Macht doch eine einfache Sache nicht derart kompliziert: Ein intimer Freund ist ein Mensch, dem man vertrauen kann; den man immer um Hilfe bitten kann, ohne daß es einem unangenehm ist.«

Wieder zupfte Claxton an den Bändern seiner Brille. Bei Aufsichtsratssitzungen hatte ich ihn das noch nie tun sehen. »Ich hatte eine andere Definition für eine intime Freundschaft in erster Linie zwischen Männern, aber ich habe nichts gegen Ihre einzuwenden. Eine letzte Frage. Sie gestatten?«

»Nur zu.«

»Ist Oliver, nach Ihrer Definition, ein intimer Freund? Vertrauen Sie ihm?«

»Selbstverständlich.« Hilarys Antwort kam prompt.

»Wirklich? Sie vertrauen ihm immer?«

Hilary drehte sich langsam zu mir um und blickte mir voll in die Augen. »Nein, nicht immer«, sagte sie, ohne wegzusehen.

Ich war sprachlos über die Wendung, die dieses Tischgespräch genommen hatte. Warum, fragte ich mich, war ich so blöd gewesen, faktisch einen Fremden zu etwas einzuladen, das sich rapide in eine *masque à trois* verwandelte? Aber ich hatte keine Lust, mich ausfragen zu lassen. Ich ging in die Küche; langsam holte ich die Kaffeebohnen aus dem Gefrierfach und füllte die elektrische Kaffeemühle. Ich schaltete den Herd auf Mittelhitze, damit das Wasser ein paar Minuten länger brauchte, um zum Kochen zu kommen, und stellte mich an die Küchentür. Im Augenblick zog ich die Rolle des Lauschers vor.

»Einen Roman? Sie, ein Mitglied des Aufsichtsrats? Was machen Sie übrigens, wenn Sie nicht gerade dieser Tätigkeit nachgehen?«

»Ich arbeite an einem Roman, meinem ersten.«

»Was hat Sie dazu veranlaßt?«

»Ich glaube, ich wollte mich öffentlich analysieren, hinter der Maske eines *roman-à-clef*, aber nun bin ich von Metaphern und Stil angetan. Zur Abwechslung möchte ich etwas schreiben, wo Stil zählt – nicht der übliche technische Firmenjargon. Ich beschäftige mich gerade mit Büchern von echten Könnern. Ich glaube, ich versuche, erst einmal Wasser in meine Pumpe zu füllen.«

»Ist denn viel Wasser in Ihrem Brunnen?« Hilary war leidlich schlagfertig.

»Das bleibt abzuwarten; die Pumpe läuft noch nicht lange genug. Aber mir fallen zum Beispiel Dinge wie folgende auf. Ich habe gerade Saul Bellows *Herzog* noch einmal gelesen. Ich weiß, daß Sie das Buch gelesen haben.«

»Woher wissen Sie das?«

»Oliver hat es mir vor dem Abendessen erzählt.«

»Ollie? Warum um alles in der Welt hat er Ihnen denn das erzählt?«

»Fragen Sie Ihren intimen Freund. Ich habe *Herzog* langsamer und langsamer gelesen, bis ich für eine einzige Seite mehrere Minuten brauchte. Ich habe bei jedem Satz innegehalten; ich fragte mich, wie ist der Mann nur auf diesen Ausdruck gekommen? An einer Stelle spricht Bellow von einer alten Badewanne – einem ganz trivialen Gegenstand, der mit der Geschichte nicht viel zu tun hat – und beschreibt ihren Emaillerand als ›verziert mit haarartigen Verflechtungen, die aussahen wie gekochter Rhabarber‹. Ich wollte mal sehen, wie ich es gesagt hätte, aber ich blieb irgendwie im Gemüsebeet stecken: ›gekochter Bleichsellerie‹ war alles, was mir einfiel.«

»Bleichselleriefäden sind nicht so fein wie Rhabarberfäden«, warf Hilery ein.

Claxton brach in Gelächter aus. »Sehen Sie, Sie sind

in die gleiche Falle getappt. Natürlich haben Sie recht. Dann dachte ich an gekochten Bocksbart.«

»Bocksbart? Was ist denn das?«

»Genau das ist das Problem mit Bocksbart. Es ist zu clever. Rhabarber ist etwas Alltägliches; jeder weiß, was das ist, aber nur wenige hätten es als Metapher benutzt, um haarartige Verflechtungen zu beschreiben.«

Während ich die Kaffeekanne, Tassen, Untertassen und eine offene Flasche Portwein mit drei Gläsern auf das Tablett stellte, konnte ich die ganze Zeit Claxtons lebhafte Stimme im Wohnzimmer hören. Durch die offene Küchentür sah ich die beiden nebeneinander auf dem Sofa sitzen. Etwas in meinem Innern ließ mich wieder an der Tür anhalten.

»Nehmen Sie beispielsweise einen meiner Lieblingsdichter, Wallace Stevens. Hin und wieder erfinde ich Kombinationen von Wörtern, die Stevens in seiner kuriosen Art benutzt hat. Was halten Sie von ›Aspik-Aplomb‹?« Claxton wartete. Ich sah, wie Hilarys rechte Hand mit ihren Haaren spielte.

»Sie meinen: ›In ihren Augen lag Aspik-Aplomb‹?« fragte sie.

»Drücken das Ihre Augen aus, Hilary? Darauf wäre ich nie gekommen.«

Hilary war nicht bereit, sich festzulegen. »Was hat denn Stvens geschrieben, Bob?«

»Sagen Sie mir erst ganz schnell, was Sie mit dem Wort ›Aspik‹ assoziieren.«

»Zunge.«

»Zunge?«

»Zunge, die in Aspik zittert. Haben Sie noch nie kalte Zunge in Aspik gegessen?«

»Welches Wort hat Stevens Ihrer Meinung nach wohl mit Aspik kombiniert?«

»Nun sagen Sie schon.« Hilary hatte sich ködern lassen.

»Brustwarzen.«

»Brustwarzen? Aspik-Brustwarzen? Sie meinen Brustwarzen, die zittern?«

Claxton lachte erneut. »Hilary, ich ziehe den Hut. So habe ich es ursprünglich auch interpretiert. Aber Stevens wäre schockiert gewesen. Ich glaube, das ist unsere postfreudianische sexuelle Phantasie: Aspik zittert; Brüste zittern; wenn man Aspik ißt, lutscht man es quasi; an Brustwarzen lutschen …«

»Hören Sie auf, Bob.« Hilary kicherte. »Was hat er denn gemeint?«

»Bittere Brustwarzen. Genau das Gegenteil. Die Zeile lautet in etwa: ›Wie kommt es, daß deine Aspik-Brustwarzen für diesmal Honig spenden?‹«

»Die Zweideutigkeit von ›Aspik‹ gefällt mir.« Warum läßt Hilary dieses Thema nicht fallen, dachte ich. »Wie wäre es mit ›das zitternde Aspik ihrer Pupillen‹?« fuhr sie fort. »Kommen Sie, Bob, schauen Sie sich doch nur mal meine Aspik-Augen an.«

»Das tue ich ja, Hilary«, sagte er.

Das Tablett in meinen Händen neigte sich leicht, so daß die Tassen klirrten. Claxtons Stimme brach mitten im Satz ab.

Hilary drehte sich beiläufig um. »Warum hast du so lange gebraucht, Ollie?« An Claxton gewandt fügte sie hinzu: »Sie sollten mal sehen, wie schnell er morgens Kaffee macht.«

Mein Gott, dachte ich, sie hat tatsächlich Aplomb. Als ich das Tablett auf dem Couchtisch abstellte, fragte

117

ich: »Worüber habt ihr beiden euch unterhalten, während ich mich in der Küche abgerackert habe?«

»Bob hat mir von eurer Sitzung heute morgen erzählt.« Ich hatte gar nicht gewußt, wie aalglatt Hilary sein konnte.

Ich versuchte, nonchalant zu sein, ohne Erfolg.

»Was genau?«

»Oh, bloß Tratsch.« Natürlich vertraut keiner einem anderen die *ganze* Zeit, dachte ich. Dennoch …

»Ich hole noch etwas Süßes«, sagte sie fröhlich und verschwand in der Küche.

»Milch und Zucker?« fragte ich Claxton.

»Nein, danke, nur schwarz.« Und dann überrumpelte er mich: »Oliver, Ihre Antwort vorhin in bezug auf Kahnweiler war geschickt, aber Sie wissen doch, warum ich Ihnen diese Frage gestellt habe?«

»Ja«, antwortete ich. »Möchten Sie ein Glas Portwein?«

»Warum haben Sie sie dann in dieser Form beantwortet?«

»Was hätte ich denn sonst vor Hilary sagen sollen?«

»Was spricht gegen die Wahrheit?«

»Wie wäre es mit einem Glas Portwein?«

»Haben Sie alles gelesen?« bohrte er weiter. Ich nickte.

»Warum?«

»Also wirklich, Bob. Was hätten Sie getan, wenn Sie die Sitzungsmappe aufgeschlagen und diese Seiten gefunden hätten?«

»Ich hätte sie sofort zugemacht und Ihnen zurückgegeben.«

Ich wollte ihm gerade sagen, daß ich das nicht glaubte, als Hilary wieder erschien. »Pfefferminzschokolädchen?« fragte sie und brachte einen Teller herein, auf dem die dunkelbraunen Täfelchen spiralförmig angeordnet waren. Hilary achtet bei solchen Dingen auf das Erscheinungsbild. Ich nahm zwei, doch Claxton hob abwehrend die Hand, wie ein Verkehrsschutzmann.

»Ihr zwei seht aus, als ob ihr euch über geschäftliche Dinge unterhalten hättet.«

»Das haben wir auch«, sagte ich.

»Zu dumm.« Es ist erstaunlich, wie vieldeutig zwei Wörter manchmal sein können.

Claxton sah sie an. »Es hatte mit Masken zu tun – solchen, die einen frei machen. Die Frage ist, welches Recht ein Mensch hat, ohne Erlaubnis des Trägers hinter dessen Maske zu blicken.«

»Was hast du geantwortet, Ollie?« fragte sie.

»So weit waren wir noch nicht«, warf Claxton ein. »Falls Oliver nichts dagegen hat, daß ich es vor Ihnen tue, dann würde ich zur Abwechslung gerne mal einen Blick hinter seine Maske werfen.«

»Zur Abwechslung?«

»Sagen Sie, Oliver, wie lautet Ihre Definition für Freundschaft?«

Das war die Frage, die ich erwartet hatte. »Ich hatte noch nicht darüber nachgedacht«, sagte ich, »aber ich glaube, ich pflichte Ihnen bei.«

Das schien Claxton zu besänftigen, der daranging, sich Portwein einzuschenken. Aber Hilary gab sich damit nicht zufrieden. Wieso auch? »Um Himmels willen«, rief sie, »wovon sprecht ihr beiden eigentlich?« Einen Moment lang sahen Claxton und ich uns an und erlaubten uns dann zu lachen.

Hilary schätzte ihre abrupte und unfreiwillige Verwandlung in einen Außenseiter gar nicht. »Wißt ihr, eure Aufsichtsräte sind eigentlich so etwas wie Männervereine. Ich höre dich nie irgendwelche Frauen erwähnen, Oliver.«

Der Ballon männlicher Heiterkeit war geplatzt. »Tut mir leid, Hilary, wir sollten es dir natürlich erzählen.« Doch da fragte Claxton: »Hilary, führen Sie ein Tagebuch?«

»Ja«, sagte sie. »Schon seit Jahren. Warum fragen Sie?«

Da saß Hilary, mit der ich seit sechsundzwanzig Jahren verheiratet war, und verkündete das faktisch einem Fremden, während ich, ihr Ehemann, nie eine klare Antwort bekam, wenn ich fragte, was sie da schrieb.

»Das dachte ich mir. In dem Falle«, fuhr Claxton fort, »würde ich Sie beide gerne etwas fragen.«

Er holte sein Notizbuch hervor, riß zwei Seiten heraus, reichte jedem von uns eine und seinen Kugelschreiber Hilary. »Oliver, haben Sie zufällig einen Kugelschreiber?« Ich griff in mein Jackett. »Würden Sie beide Ihre Antwort – ein schlichtes Ja oder Nein – auf die folgende Frage notieren. Nehmen wir mal an, Sie kommen in ein Zimmer, hier in Ihrem Haus, und sehen zufällig ein offenes Heft auf dem Tisch liegen. Und nehmen wir außerdem an, daß Sie einen Blick auf eine der Seiten werfen und sofort merken, daß es das private Tagebuch Ihres Ehepartners ist. Um der Debatte willen gehe ich übrigens davon aus, daß Sie ebenfalls Besitzer eines Tagebuchs sind, Oliver. Sind Sie das in der Tat?«

»Nein, noch nie gewesen.«

Er ignorierte mich. »Da Sie nun wissen, daß Sie das

private Tagebuch Ihres Ehepartners vor sich haben, würden Sie weiterlesen? Denken Sie daran, daß Sie nicht beobachtet werden; daß Sie allein im Zimmer sind.«

Bevor ich protestieren konnte, hatte Hilary schon ihre Antwort aufgeschrieben, das Blatt gefaltet und Claxton gereicht. Mir blieb nichts anderes übrig, als das gleiche zu tun.

Claxton mischte die beiden Zettel ziemlich ostentativ und entfaltete sie dann. »Das dachte ich mir«, sagte er. »Kommen Sie, Hilary, erläutern Sie den Vereinsbrüdern Ihre Antwort.«

»Was gibt es da zu erklären? Natürlich würde ich das Tagebuch nicht weiterlesen. Wofür halten Sie mich? Das wäre ein unverzeihlicher Eingriff in Olivers Intimsphäre. Ich glaube nicht, daß ich mit jemandem leben könnte, der so etwas tut.«

»Regen Sie sich nicht auf, Hilary. Ich sehe das genauso wie Sie. Ich wollte es nur laut von Ihnen hören.«

Mehr sagte er nicht und behielt die beiden Zettel in der Hand.

»Wollen Sie Ollie nicht auch fragen?« Aber Claxton hatte inzwischen die beiden Blätter genommen, säuberlich aufeinandergelegt und in der Mitte gefaltet. Er zog sie ein paarmal zwischen Daumen und Zeigefinger durch, so daß ein scharfer Knick entstand, und holte dann ein dickes Schweizer Soldatenmesser aus der Jackentasche. Er benutzte die Schere, um auf halber Höhe des Knicks ein keilförmiges Stück auszuschneiden und gleich darunter einen flachen Keil von etwa drei Millimeter Länge. Sorgfältig schnitt er die Oberkante des gefalteten Blatts halbmondförmig zu. Er inspizierte kurz sein Werk und stach dann, mit Hilfe der Scherenspitze, ein Loch durch den oberen Teil des gefalteten Zettels. Hilary, schien von der Vorstellung fasziniert zu sein.

Schließlich trennte er die beiden Blätter und faltete sie teilweise auf. »Bitte sehr«, verkündete er und stellte sie vor unseren Kaffeetassen auf. »Für jeden von Ihnen eine Maske!«

Es stimmte. Es war geradezu unheimlich, wie die zwei Blätter, mit unserer einsilbigen Antwort auf der Rückseite, in zwei identische Masken verwandelt worden waren; der abschließende Einstich mit der Schere hatte die Augen ergeben.

Ich hatte darüber nachgedacht, wie ich meine Antwort erklären sollte. Ich wollte ehrlich sein und darauf hinweisen, daß mein »Ja« schlicht und einfach bedeutete, daß es weder verschlagen noch vorbedacht ist, seine Neugier zu befriedigen. Trotzdem war ich froh, daß das Thema erledigt zu sein schien.

»Hilary«, sagte Claxton, »Sie haben sich vorhin anscheinend geärgert, als wir beide über Sie lachten. Ich glaube, daß wir aus dem gleichen Grund gelacht haben: aus Verlegenheit.«

»Hören Sie, Bob ...« begann ich, doch Hilary fiel mir ins Wort.

»Warum wart ihr beiden denn verlegen?«

»Beim Abendessen habe ich Ihnen gesagt, daß ich eine andere Definition für Freundschaft habe als Sie, und zwar in erster Linie deshalb, weil ich an die Freundschaft zwischen Männern gedacht hatte. Darum geht es in dem Roman, an dem ich zur Zeit arbeite.«

Jetzt war ich derjenige, der unterbrach. »Wie kommt

es, daß Sie auf einer Aufsichtsratssitzung Romane schreiben?« Während ich auf der Sitzung brav dasaß, mich wie ein anständiger Direktor benahm und kleidete, befand sich Claxton in seiner eigenen Welt, nur weil er eine Direktorenmaske trug. Hatte er tatsächlich die Frechheit zu glauben, daß er sich sein Direktorengehalt verdiente, indem er sich mit seinem verdammten Roman vergnügte?

»Aber warum denn nicht, Ollie?« rief Hilary aus. »Du hast uns doch vorhin selbst erzählt, wie langweilig der Bericht dieses Mannes war. Wie hieß er doch gleich?«

»Hohmann«, sagte Claxton, der sich sichtlich amüsierte.

»Hört mal, ihr zwei Aufsichtsräte«, bemerkte Hilary, »vergessen wir die ganze Aufsichtsratssitzung. Was ich wissen möchte, ist, wie ihr Freundschaft definiert. Und zwar jeder von euch!«

Claxton schaute auf die Uhr. »Es ist spät geworden«, verkündete er, »und ich möchte noch ein paar Tagebuchaufzeichnungen machen. Oliver kann Ihnen alles über Freundschaft erzählen, und Sie können ihm alles über Aufsichtsratsmasken erzählen. Oder vielleicht umgekehrt.«

Nachdem ich Claxton zur Tür gebracht hatte, bot ich an, mich um das Geschirr zu kümmern, doch Hilary bestand darauf, daß wir wieder zum Sofa gingen. Ich zuckte die Achseln und folgte ihr ins Wohnzimmer. Als ich mich setzte, bemerkte ich, daß sie die kleinen Papiermasken anstarrte, die vor unseren Kaffeetassen standen. Ich wollte gerade fragen, ob sie noch Kaffee wollte, aber es war schon zu spät.

»Ollie, warum um alles in der Welt hat er bloß diese Miniaturmasken gemacht?« fragte sie langsam, während sie die Maske vor ihrer Tasse umdrehte, diejenige, auf die ich meine Antwort auf Claxtons Frage geschrieben hatte. »Da krieg ich das kalte Grausen.«

Nonne erster Klasse

Bei seinen häufigen Interviews machte Michael Brewis aus Blickkontakt einen Fetisch. Er beurteilte das Kaliber seiner Klienten zuerst einmal danach, wie sie seinem durchdringenden Blick standhielten; erst dann kam die eingehende Prüfung ihrer Redegewandtheit. Aber in Flugzeugen vermied er jeden Blickkontakt. Das war seine Methode zu verkünden, daß er für unverbindliches Geplauder nicht zur Verfügung stand. Als er auf diesem Flug den Gang entlangging, um den ihm zugewiesenen Platz zu finden, stellte er mit Befriedigung fest, daß er keinen Nachbarn hatte; der abwesende Blick, das unverwandte Starren auf die Lektüre, das vorgetäuschte Dösen – nichts davon schien dieses Mal nötig zu sein. Er hatte gerade seinen offenen Aktenkoffer auf dem freien Platz neben sich abgestellt, als er die leise Stimme einer Frau hörte: »Entschuldigen Sie. Ich glaube, das ist mein Platz.«

Brewis ärgerte sich dermaßen, daß er kaum aufsah, während er seine Papiere einsammelte und den Aktenkoffer schloß. Ohne ein weiteres Wort ließ sich die Frau auf ihrem Platz nieder; sie schlug ein Buch auf, bevor er sich auch nur wieder seinen Unterlagen zugewandt hatte. Kurz nach dem Start ging die Stewardeß herum und brachte die Speisekarte, die er ungelesen in die Sitztasche steckte. Er bestellte immer eine spezielle Mahlzeit im voraus, gewöhnlich ein vegetarisches Gericht oder einen Teller frisches Obst. Bei dieser Gelegenheit hatte er sich für Obst auf dem Flug nach New

York entschieden und für ein vegetarisches Essen auf dem Rückflug nach San Francisco. Obwohl er sich auf seine Unterlagen konzentrierte, wartete er schon auf die zweite Störung, die Frage der Stewardeß: »Haben Sie schon die Vorspeise gewählt?« Aber als die Frage dann kam, war sie nicht an ihn gerichtet, sondern an seine Nachbarin. »Schwester Olivia Fitzsimmons?«

»Ja?«

»Hatten Sie das spezielle vegetarische Abendessen bestellt?«

»Ja, das hatte ich. Vielen Dank.«

»Möchten Sie vor dem Essen etwas trinken?«

»Haben Sie Weißwein?«

»Ja, einen kalifornischen Riesling und einen weißen Zinfandel.«

»Keinen Chardonnay?«

»Leider nicht.«

»In dem Falle nur Sodawasser mit Limone.«

Brewis sah schließlich doch hinüber zu seiner Begleiterin. Schwester? Krankenschwestern werden so genannt, dachte er, aber dagegen sprach das gepflegte Ostküsten-Amerikanisch mit dem leichten Südstaaten-Anklang. Eine Nonne? Ich habe noch nie eine Nonne kennengelernt und auch noch nie eine in der ersten Klasse gesehen. Wie kommt es, daß sie bei Weinen so wählerisch ist? Trinken sie dergleichen etwa in ihren Zellen?

Seine stummen Fragen wurden von der Stewardeß unterbrochen: »Was darf ich Ihnen bringen, Sir?«

»Ich habe ebenfalls das vegetarische Essen bestellt.«

»Oh, das muß ein Mißverständnis sein. Man hat uns für diesen Flug nur eines mitgegeben.«

»Aber ich habe es schon vor Wochen bestellt!« protestierte Brewis. »Ich bestelle es immer, wenn ich ein Ticket resevieren lasse.«

»Es tut mir schrecklich leid, Sir. Da muß sich jemand vertan haben.«

»Vielleicht bin ich an diesem Mißverständnis schuld«, mischte sich seine Nachbarin ein. »Ich habe meines erst gestern bestellt. Bitte nehmen Sie es. Ich bestelle mir etwas anderes.«

»Nein, das würde mir nicht im Traum einfallen«, erwiderte Brewis. »Aber es ist sehr freundlich von Ihnen.« Er wandte sich an die Stewardeß: »Ich nehme den Fisch.«

»Was möchten Sie trinken?« fragte die Stewardeß.

»Im Moment nichts.« Er trank auf Flügen fast nie etwas, aber er war sich darüber im klaren, daß seine Ablehnung in diesem Falle mißmutig wirkte.

Als die Stewardeß ging, bemerkte seine Nachbarin mit leiser Stimme: » Sie sind verärgert, nicht wahr? Das ist die Sache doch gar nicht wert – vielleicht ist der Fisch eine angenehme Überraschung.«

Brewis hatte sich zu der Frau umgedreht; er war nicht daran gewöhnt, abgeschätzt zu werden. Zum ersten Mal musterte er sie genauer. Über ihren Körper konnte er nicht viel sagen – sie trug einen braunen Wickelrock, die Beine waren nicht zu sehen, und eine hellbraune hochgeschlossene langärmelige Bluse bedeckte praktisch ihren ganzen Oberkörper. Sie trug keinen Schmuck außer einer Halskette mit einem silbernen Kreuz und keinerlei Make-up. Er konzentrierte sich auf ihr Gesicht: hellbraunes Haar, straff nach hinten gekämmt und zu einem Knoten zusammengefaßt makelloser Teint; volle Lippen; und große intensiv grüne Augen.

»Sie sehen aus, als wollten Sie mir eine Frage stellen.« Der Anflug eines Lächelns hatte sich in ihre Augen geschlichen. »Warum tun Sie es nicht?«

Wieder war Brewis sprachlos. Er, der professionelle Fragesteller, war es nicht gewohnt, gedrängt zu werden. »Sie haben recht. Als die Stewardeß Sie mit ›Schwester‹ anredete, dachte ich zuerst an eine Krankenschwester, aber als Sie dann etwas sagten ...«

»Sie meinen meine Ausdrucksweise?«

»Ja, und etwas in Ihrem Tonfall. Ich kam zu dem Schluß, daß Sie eine Nonne sein müssen, aber eigentlich sehen Sie gar nicht so aus.«

»Sie meinen, weil ich keine Ordenstracht trage und kein Gebetbuch in der Hand habe?«

»Ich hatte mir Ihr Buch nicht angeschaut.«

»Schauen Sie es sich ruhig an.«

Brewis warf einen kurzen Blick auf den Einband. »*Die Kirche und das zweite Geschlecht?* Ich habe davon gehört. Interessieren Sie sich für feministische Ideologie?«

»Sogar sehr. Und woher wissen Sie, daß Mary Daly Feministin ist?«

Brewis gefiel die unerwartete Aggressivität. »Ich interessiere mich für Frauen«, erwiderte er, »in der Rolle, die sie in der heutigen Gesellschaft spielen und insbesondere für die Rollen, die sie spielen sollten.« Er merkte, wie gestelzt das klang. Er fügte hinzu: »Überrascht Sie das?«

»Eigentlich schon.«

»Ich wiederum muß gestehen, daß ich überrascht bin, daß eine Nonne solche Bücher liest.«

»Sie wissen wohl nicht viel über Nonnen, nicht wahr? Einige von uns leben nämlich in der Gegenwart.« Die grünen Augen funkelten, als sie fortfuhr: »Nachdem Sie nun Ihre erste Nonne kennengelernt haben, brennen Sie darauf, die nächste Frage zu stellen, nicht wahr?«

»Ja.« Er genoß es, provoziert zu werden. »Wann sind Sie Nonne geworden? Was hat Sie dazu veranlaßt?«

»Mitte zwanzig, nachdem ich das Philosophiestudium abgeschlossen hatte.«

Die Nonne sah zu schelmisch, irgendwie zu weltlich aus, um Philosophin zu sein, dachte Brewis. »Was hat Sie dazu bewogen, nach dem Studium in ein …«

»Sie zögern«, stellte die Nonne fest. »Etwa deshalb, weil Sie an ein Nonnenkloster denken, es aber nicht aussprechen wollen? Sie könnten ja einfach ›Kloster‹ sagen.«

Wie bringt es diese Frau bloß fertig, die Offensive zu behalten, dachte er. Schöne Philosophin! »Sie scheinen alles vorauszuahnen, was ich sagen will.«

»Eigentlich nicht. Es ist nur so, daß wir das ständig zu hören bekommen, besonders von Männern.«

Ihre Bemerkung hatte einen neckischen Unterton; Brewis beschloß, förmlich zu sein. »Bringen Sie mich nicht in Verlegenheit, Schwester. Es ist nur so, daß ›Kloster‹ etwas Mittelalterliches an sich hat, das nicht zu Ihnen paßt. Sie sind konservativ gekleidet – aber Sie stekken nicht in einer Ordenstracht; Sie könnten eine ganz normale Frau sein, und noch dazu eine sehr hübsche.«

Sie lachte unverblümt. »Sie haben wirklich alle stereotypen Antworten parat. Sie meinen, eine Nonne kann oder sollte nicht hübsch sein? Im übrigen haben Sie ja nur mein Gesicht gesehen.«

Brewis fing gar nicht erst an, über seinen Fauxpas oder ihre völlig profane Reaktion nachzudenken, sondern schaltete schleunigst um. »Aber Sie reisen erster Klasse; Sie sind wählerisch, welchen Wein Sie trinken – lauter Dinge, die ich irgendwie nicht mit einem Kloster assoziiere, und schon gar nicht mit einem Nonnenkloster.«

»Sie haben recht«, erwiderte die Nonne nach kurzem Zögern, »was den Platz in der ersten Klasse betrifft. Nur um das klarzustellen: Wir fliegen immer in der Economyklasse. Doch diesmal hatte United überbucht, und als ich ihnen sagte, daß ich heute abend unbedingt nach San Francisco muß wegen einer Verabredung, die ich nicht absagen kann« – zu seiner Überraschung wurde die Nonne rot, als sie daß Wort ›Verabredung‹ aussprach –, »haben sie mich auf diesen freien Platz gesetzt.«

Brewis sah endlich einen Ansatzpunkt. »Sagen Sie«, fragte er unschuldig, »wie kommt es, daß die Stewardeß Sie Schwester nannte? Woher wußte sie, daß Sie Nonne sind?«

»Woher sie das wußte?« wiederholte die Nonne und sah aus dem Fenster. Nach einer peinlichen Pause sprach sie hastig weiter: »Als mir der Mann am Flugsteig sagte, ich hätte früher einchecken sollen, habe ich ihm erklärt, daß ich Probleme hatte, am Kloster ein Taxi zu bekommen. Sobald ich das Wort ›Kloster‹ sagte, schlug er einen anderen Ton an. Er übergab mich der Stewardeß und wies sie an, ›besonders gut auf Schwester Olivia zu achten‹.« Sie zuckte die Achseln. »Sie sehen also, daß ich meinen Stand nicht herausgestrichen habe.«

Brewis war nicht bereit, es dabei bewenden zu lassen. »Und alles übrige – Ihre Kleidung, der Wein, das Buch, das Sie lesen?«

»Das beweist nur, wie wenig Sie über Nonnen wissen.«

»Ich weiß gar nichts über sie. Eigentlich weiß ich sehr wenig über das religiöse Leben; Sie sprechen mit einem eingefleischten Agnostiker.«

»Lassen Sie mich raten«, gab die Nonne zurück. »Sie müssen Wissenschaftler sein. Habe ich recht?«

»Nein, aber wie kommen Sie darauf.«

»Der geradezu aggressive Ton, in dem Sie ›eingefleischter Agnostiker‹ sagten. Darf ich fragen, was für einen Beruf Sie haben?«

»Ich bin ein Headhunter«, sagte er sachlich.

»Ein was?«

Es war nicht das erste Mal, daß er auf eine derartige Reaktion stieß, wenn er dieses Wort benutzte, um seinen Beruf zu beschreiben. »Ich leite ein Büro, das Führungskräfte für die Wirtschaft ausfindig macht. Ich interviewe Leute, die für leitende Positionen in Frage kommen.«

»Interviewen Sie die Leute so, wie Sie mich ausfragen?«

Einen Moment lang sah Brewis die Nonne an, als wollte er feststellen, ob hinter dieser Bemerkung mehr steckte; dann wanderten seine Augen an der Frau vorbei zum Flugzeugfenster und hinaus zu den Landeklappen, die sich im *Jetstream* bewegten.

»Nein«, sagte er langsam, »ich interviewe Sie nicht. Aber ich würde gerne etwas über das Leben einer Nonne erfahren – ich meine, über Ihr derzeitiges Leben. Was hat Sie dort hingeführt?«

Nun war sie an der Reihe, ihn zu mustern. »Na schön«, sagte sie schließlich, »es kann einem agnostischen Headhunter nicht schaden, etwas über Nonnen zu erfahren. Sie denken vermutlich nur an die im Lexikon stehende Definition einer Nonne – eine Frau, die einem religiösen Orden angehört, in einem Kloster lebt und ein Gelübde des Gehorsams, der Armut und der Keuschheit abgelegt hat. Haben Sie schon vom Orden der Karmelitinnen gehört?«

»Ja. Aber was ist an ihnen so Besonderes?«

»Ich will versuchen, es kurz zu machen. Der Ursprung unseres Ordens liegt im Ungewissen, läßt sich aber vermutlich bis in das 12. Jahrhundert zurückverfolgen, zu einer Einsiedelei im Karmelgebirge. Aufgrund dieses Ursprungs und der Betonung der Abgeschiedenheit leben nie mehr als einundzwanzig Nonnen in einem Kloster, wo jede ihre eigene Zelle hat. Niemand sonst betritt diese Zelle, nur die Äbtissin, und auch sie muß dazu aufgefordert sein. Das ist der große Unterschied zu anderen Orden, beispielsweise den Benediktinerinnen, wo einige hundert Nonnen in einem einzigen Kloster leben und in Schlafsälen untergebracht sind.« Sie hielt plötzlich inne. »Ich klinge bestimmt wie ein Fremdenführer. Sagen Sie, interessieren Sie sich wirklich für solche Einzelheiten?«

»Ja, ich bin ganz fasziniert. Aber ich frage mich, wann Sie mir wohl erklären werden, was Sie in diesem Kleid machen.«

Die Nonne nickte eifrig, als hinge ihre Fremdenführer-Lizenz von ihrer Antwort ab. »Die meiste Zeit tragen wir Braun, aber wie Sie sehen können, tragen wir nicht unbedingt Nonnentracht. Natürlich sind wir keine Modepüppchen. Wir kaufen vernünftige Röcke, Blusen, Sandalen – was ich gerade trage, wurde größtenteils aus einem L. L. Bean-Katalog bestellt.«

Seine amüsierte Miene ließ sie von neuem erröten.

Aus irgendeinem unerklärlichen Grund gefiel ihm das. »Bitte, sprechen Sie doch weiter.«

»Unser Ordenshaus in Brooklyn gehört zu den moderneren. Es gibt andere, gar nicht weit von uns, die sich nicht sehr von den Karmelitinnenklöstern vor einigen Jahrhunderten unterscheiden.«

»Was machen die Nonnen in Ihrem Kloster?«

»Das hängt von dem jeweiligen Haus ab«, erwiderte Schwester Olivia. »Manche führen ein sehr zurückgezogenes Leben, nicht unähnlich dem, was sich die breite Öffentlichkeit in bezug auf Nonnen so vorstellt. Andere sind grundverschieden. In unserem Haus in Brooklyn leben neunzehn Nonnen, und Sie wären überrascht, wie verschieden ihre Vorgeschichte und ihre Interessen sind. Ich bin angeblich eine geistliche Beraterin ...«

»Sie, eine Beraterin?« Das Wort brachte Brewis aus der Fassung. Erst vor wenigen Tagen hatte seine Frau Claire verkündet, daß er einen Psychiater konsultieren sollte. »Bekloppтendoktoren«, war es ihm entfuhren. »Was wollen die mir schon sagen, was ich nicht bereits selbst weiß?«

»Ich bin Beraterin – hauptsächlich für Außenstehende, die Führung oder Ratschläge wünschen.« Sie sprach hastig weiter, als wollte sie das Thema wechseln. »Unter den Nonnen meines Hauses gibt's auch eine Fotografin und eine Musikerin.«

Obwohl Brewis inzwischen auf der Hut war, konnte er sich nicht zurückhalten: »Ich nehme an, ihr Lieblingskomponist ist Poulenc.«

»Wieso?« Die Nonne schien verdutzt.

»Na ja, wegen *Dialogues des Carmélites*.« Michael Brewis frönte häufig seiner Neigung zum ›Bildungsprotz‹, wie seine Frau es nannte. Claire hatte es nicht als Kompliment gemeint, aber er konnte es einfach nicht lassen.

Die Frau sah ihn unsicher an, als wäre sie darauf nicht gefaßt gewesen. »Tut mir leid, das verstehe ich nicht.«

Brewis hätte vielleicht weiter angegeben, doch diesmal widerstand er der Versuchung. »Ach, vergessen Sie es. Was für Berufe haben Sie noch?«

Sie schien erleichtert zu sein. »Wir haben ein paar Schriftstellerinnen und betreiben eine kleine Druckerei. Vorhin haben Sie sich über meine Lektüre gewundert. Natürlich leben wir mit der Bibel und mit religiösen Büchern, aber unser Begriff von geistlicher und religiöser Literatur ist sehr weit gefaßt.«

»Schwester, da Sie gerade von Büchern sprechen, haben Sie mich auf eine Frage gebracht.« Er drehte sich zur Seite, um sie direkter anzusehen, wie er es immer tat, wenn er Informationen bekommen wollte. »Diese Gelübde, von denen Sie gesprochen haben – die würden mich interessieren. Fangen wir mit dem Gehorsam an: Wie paßt das zu dem feministischen Buch, das Sie da lesen?«

»Lassen Sie mich mit dem Armutsgelübde beginnen, das sich auf irdischen Besitz bezieht«, konterte die Nonne. »In Wahrheit führen wir ein reiches Leben; reich an Inhalt und reich an Abgeschiedenheit. Wenn man nach intellektuellen oder geistigen Dingen strebt, bietet einem das moderne Leben wenig Zeit oder Gelegenheit zur Kontemplation. Das und die Gemeinschaft mit Gleichgesinnten, mit anderen Frauen, ist wichtig, besonders in dieser von Männern dominierten Welt. Übrigens ist das einer der Gründe, warum sich manche Nonnen für feministische Ideologie interessieren. Warum auch nicht? Schließlich sind wir alle Frauen, und die Rolle der Frau in der Kirche ist heutzutage ein heißdiskutiertes Thema, zumindest in manchen kirchlichen Kreisen. Verstehen Sie jetzt, warum ich Mary Dalys Buch lese?«

Er ließ sich nicht ablenken. »Schon, Schwester, aber gestatten Sie mir die Frage, wie Sie die Besitzlosigkeit handhaben. Zum Beispiel waren Sie gegenüber der Stewardeß sehr bestimmt, was den Chardonnay betraf. Sind Sie Weinkennerin? Und wenn ja, wie sind Sie, eine Nonne, das geworden? Wie paßt das alles mit Armut zusammen?«

»Sie hören sich ja fast wie ein Staatsanwalt an …«

»Das lag nicht in meiner Absicht«, versicherte Brewis.

»Ich mache nur Spaß«, sagte die Nonne. »Natürlich haben Sie das Recht, wegen des Weins zu fragen. Ich trat bei den Karmelitinnen ein, als ich sechsundzwanzig war, und meine Eltern tranken häufig Wein zum Essen. Außerdem war mein Schwiegervater Weinimporteur …«

Brewis war so verblüfft, daß er sich nicht zurückhalten konnte: »Ihr Schwiegervater?«

»Ja, ich war verheiratet, bevor ich in den Orden eintrat.« Die Kürze ihrer Antwort machte deutlich, daß sie dieses Thema nicht zu verfolgen wünschte.

»Gelegentlich trinken wir im Kloster Wein zum Essen, aber nur einfachen Landwein. In gewisser Weise bin ich froh, daß die Stewardeß keinen Chardonnay hatte – es besteht kein Grund, sich an ein früheres Leben zu erinnern, das man freiwillig aufgegeben hat …«

Ihre Stimme verlor sich, und sie nippte an dem Glas

Sodawasser. Plötzlich sprach sie weiter, den Blick geradeaus gerichtet und mit so leiser Stimme, daß Brewis sich anstrengen mußte, um sie zu verstehen.

»In gewisser Weise werde ich ständig von Versuchungen aus meiner Vergangenheit auf die Probe gestellt. Nicht in großen Dingen, wie Sie sich das vielleicht vorstellen, sondern in kleinen, über die die meisten Menschen nicht einmal nachdenken. Das ist insbesondere bei den Mahlzeiten der Fall. Es ist nicht nur der Wein, es sind Dinge wie Käse oder Fisch. Beispielsweise essen wir im Kloster immer Schmelzkäse; wie oft läuft mir das Wasser im Mund zusammen nach einem schönen kräftigen Stilton oder Camembert! Aber wenn ich mit dem Einkaufen an der Reihe bin, komme ich ebenfalls mit Velveta zurück, selbst wenn ich bei anderen Sachen hätte Geld sparen können, um einen pikanteren Käse zu kaufen. Oder Fisch: In unserem Haus ist es fast immer Flunder. Heutzutage ist es sogar meistens tiefgefrorene Flunder, weil wir jetzt die Mikrowelle haben – ein Geschenk von der Familie einer unserer Nonnen. Wir bekommen nämlich ständig Päckchen. Ich selbst habe meine Familie davon abgebracht ...«

»Tatsächlich? Warum denn?« Brewis war enttäuscht.

»Das war, als mein Bruder mir Godiva-Pralinen schickte. Aber was ich Ihnen da erzähle, ist eigentlich belanglos. Versuchungen wie diesen ist leicht zu widerstehen ...«

»Außer wenn man reist«, unterbrach der lächelnde Brewis.

Schwester Olivia sah ihn an, als suchte sie ein geheimes Motiv hinter seiner Bemerkung; dann lächelte sie flüchtig zurück. »Vielleicht beweisen diese Versuchungen, daß es gar nicht so leicht ist, sein früheres Leben zu vergessen oder auch zu entscheiden, was eine Versuchung ist und was nicht. Besonders in modernen Ordenshäusern, wo die Nonnen häufig Kontakt mit der Außenwelt haben.«

»Gestatten Sie mir, nach etwas Heiklerem zu fragen.« Inzwischen glaubte Brewis, das Gespräch völlig im Griff zu haben. »Wie steht es mit intellektueller Kennerschaft, sagen wir bei Büchern?«

Sie wurden von der Stewardeß unterbrochen, die gekommen war, um ihre Tische zu decken. »Möchten Sie Wein zum Essen?« Brewis unterdrückte ein Lachen und deutete mit einer Handbewegung auf seine Nachbarin.

Die Nonne wandte sich, mit einem belustigten Ausdruck in den Augen, zu ihm um und fragte: »Was würden Sie empfehlen?«

Das war raffiniert, dachte er. Er sah sie voll an und sagte: »Ach, ich glaube, wenn ich Sie wäre, würde ich nur Wasser bestellen.«

Ohne zu zögern wandte sich Schwester Olivia an die wartende Stewardeß. »Ich werde den Rat des Herrn befolgen. Für mich nur Wasser.«

»Und Sie, Sir?«

»Mal sehen. Sie sagten vorhin, Sie hätten keinen Chardonnay, aber ich habe vergessen, welche Weißweine Sie an Bord haben.«

»Riesling und weißen Zinfandel«, erwiderte die Frau.

»Aus welchen Weinbergen?«

»Sie kommen beide aus Almaden.«

»Oh, wenn das so ist, nehme ich nur Wasser«, erwiderte Brewis sarkastisch.

Sowie die Stewardeß gegangen war, sagte Schwester Olivia: »Diese kleine Vorstellung war wohl für mich bestimmt, nicht wahr?«

In der Frage schien weniger ein Vorwurf, sondern eher Belustigung zu liegen. »Tut mir leid; ich glaube, ich habe ein bißchen Theater gespielt.«

Ihre Antwort überraschte ihn. »Gegen Theaterspielen ist nichts einzuwenden, sofern man sich an seine Rolle hält.«

»Habe ich das denn nicht?«

Ein schelmisches Lächeln huschte über das Gesicht der Nonne. »Das müssen Sie beurteilen.«

Michael Brewis, der erfahrene Interviewer, fand es an der Zeit, das Thema zu wechseln. »Steht es Ihnen frei, alles zu lesen, was Sie wollen? Sie deuteten an – nein, Sie sagten –, daß in Ihrem Kloster die Definition religiöser Bücher sehr weit gefaßt sei. Aber diese weitgefaßte Definition muß doch gewisse Grenzen haben. Beispielsweise Romane, die ausgesprochen antireligiös sind. Ist es Ihnen als Nonne gestattet, solche Bücher zu lesen? Ich meine nicht seitens der Äbtissin. Gestatten Sie selbst es sich, mit solchen Büchern in Berührung zu kommen?«

Schwester Olivia hatte an ihrem Salat geknabbert. Sie drehte sich zu ihrem Nachbarn um und sagte bedächtig: »Auf Ihre Frage gibt es keine schwarzweiße Antwort. In den traditionelleren Karmeliterklöstern ist die Antwort einfacher. Aber in unserem Haus in Brooklyn kommen wir viel mehr mit der Außenwelt in Berührung, wozu natürlich auch Bücher und andere Literatur gehören. Außerdem verlangen unsere Berufe häufig, daß wir uns mit sehr viel säkularer Literatur vertraut machen. Meine eigene Tätigkeit als Beraterin ist ein typischer Fall. In dieser Hinsicht muß jede Nonne ihre eigenen Entscheidungen treffen, und das ist manchmal nicht einfach. Es ist jedenfalls schwerer, als auf Chardonnay zu verzichten.«

Die Veränderungen in ihrem Gesprächsstil verwirrten Brewis. Jetzt klang sie wieder wie ein Fremdenführer, der einen Standardtext vorträgt. »Sie sagten, daß jede Karmelitin in ihrer Zelle absolute Ungestörtheit genießt. Da scheint es mir doch sehr einfach zu sein, sozusagen jede beliebige Lektüre in Ihre Zelle zu schmuggeln.«

»Augenblick mal«, widersprach ihm die Nonne. »Bei Ihnen hört sich das ja an wie ein Mädchenpensionat, wo die Schülerinnen versuchen, der Hausordnung ein Schnippchen zu schlagen. Vermutlich habe ich die Entscheidungsfreiheit der einzelnen, selbst in einem so modernen Haus wie unserem, zu einfach dargestellt. Es gibt nämlich eine ganz beachtliche Kontrolle durch die Gruppe an sich. Wenn ich ein Buch kaufen möchte, muß ich es normalerweise aus unserer Gemeinschaftskasse bezahlen. Niemand sagt mir: ›Dieses Buch kannst du kaufen, das da nicht‹, aber die meisten meiner Mitschwestern wissen, welches Buch ich gekauft habe. Wenn eine der Nonnen – nicht nur die Äbtissin – meint, daß es ein unpassendes Buch ist, dann sagt sie das auch. Wir sprechen darüber, und wenn es Meinungsverschiedenheiten gibt, beteiligen sich auch andere Nonnen an der Debatte. Natürlich könnte ich ein Buch in meine Zelle ›schmuggeln‹, wie Sie es nannten, aber ich persönlich kann mir nicht vorstellen, daß ich so etwas mache. Das ändert nichts an dem fundamentalen Dilemma, auf das Sie hingewiesen haben – dem Konflikt zwischen der Versuchung, die der Kennerschaft entspringt, und unserer Betonung der Armut.«

Brewis nickte versonnen. »Wie steht es mit Ihrem anderen Gelübde, dem Gehorsam?«

Schwester Olivia antwortete geradezu eifrig. »Die Frage ist leicht, viel leichter. Die Außenwelt sieht Gehorsam als eine Last an. Natürlich gehorchen Nonnen den Geboten ihres Glaubens. Das hat sie schließlich zusammengeführt. Aber in erster Linie gehorchen sie moralischen Grundsätzen, die nicht schwer zu akzeptieren sind, wenn man sie mit den Werten der Außenwelt vergleicht.«

»Und das Keuschheitsgelübde?«

»Was soll damit sein? Vergessen Sie nicht, daß Frauen aller Altersstufen ins Kloster gehen. Manche sind Jungfrau, andere haben ein aktives Sexualleben geführt.« Es gab kein Zögern, keinen sittsamen Blick zu Boden; sie hielt die Augen fest auf Brewis gerichtet, als sie fortfuhr: »Sie wissen, was sie tun. Sexuelle Enthaltsamkeit ist für Frauen nicht immer ein so großes Opfer, wie manche Leute, vor allem Männer, meinen.«

Lieber Himmel, dachte Brewis, das darf doch nicht wahr sein! Haben sie und Claire etwa miteinander gesprochen? Er war verlegen, stellte aber dennoch die Frage: »Sprechen Sie oft über dieses Thema?«

»Ich habe Ihnen ja schon gesagt, daß meine Hauptaufgabe in unserem Haus darin besteht, Ratschläge zu erteilen, und daß ich nicht nur mit Nonnen zu tun habe. Es gibt keine Grenzen für das, worüber ein Berater spricht.«

»Kommen auch Männer zu Ihnen, um sich beraten zu lassen?«

»Selbstverständlich. Warum fragen Sie?«

Brewis zuckte nur die Achseln. Er wußte nicht, wie er das Thema Claire anschneiden sollte: seine Frau, die ihn verlassen wollte. Im Berufsleben war er als Head-hunter im Grunde hinter Männern her, oder zumindest männlichen Typen; die wenigen Frauen, denen er begegnet war, fielen meist in die gleiche Kategorie. Im Privatleben konnte sich Brewis nicht daran erinnern, jemals eine Frau getroffen zu haben, bei der Sex nicht tatsächlich oder potentiell mit im Spiel war. Aber das hier war etwas völlig anderes.

»Sie sehen nachdenklich aus. Beunruhigt Sie etwas, was ich gesagt habe?«

»Nein, durchaus nicht«, sagte er schnell, fast kleinlaut. »Ich habe nur über Ihre Beratertätigkeit nachgedacht. Ich habe beruflich noch nie mit einem Klapsdoktor zu tun gehabt. Verzeihung, einem Therapeuten. Eine verbale Angewohnheit – vermutlich ein dummer Reflex seitens eines angeblich starken Mannes, der glaubt, daß er imstande sein muß, seine Probleme alle selbst zu lösen, und daß ein Therapeut nur eine Art Krücke ist. Oder anders gesagt: Wenn man sich aussprechen möchte, sollte man es bei einem Freund tun.«

»Es gibt Zeiten, in denen ein Freund der letzte ist. Vertrauen Sie sich oft einem Freund an?«

»Ich glaube nicht. Vielleicht ist das ein Berufsrisiko. Ich bringe die meiste Zeit damit zu, andere zu analysieren. Ich scheine die Fähigkeit oder auch nur die Neigung zur Selbstanalyse verloren zu haben. Vielleicht liegt es an meinem Beruf: Ich bin im Grunde ein Kuppler, wobei das Unternehmen die Braut ist, für die ich einen passenden Mann suche.«

Brewis blickte unverwandt geradeaus. Auf diese Weise konnte er vorgeben, zu sich selbst zu sprechen. »Während ich Ihnen zugehört habe, mußte ich mich fast fragen, was passieren würde, wenn ich, der agnostische Headhunter, der unpersönliche Kuppler, mit einem geistlichen Berater sprechen würde.«

Im Verhalten der Nonne trat eine jähe und bemerkenswerte Veränderung ein. Es war, als wüßte sie, was kommen würde, und wollte es unterbinden, bevor die Frage tatsächlich gestellt wurde. »Jeder kann von einer Therapie profitieren, und besonders von einer geistlichen Beratung«, sagte sie. Und dann fiel der Vorhang. »Ich hoffe, daß Sie mich nicht für unhöflich halten, aber ich bin auf einmal ganz müde.« Mit diesen Worten lehnte sie ihren Sitz zurück und schloß die Augen.

Brewis begann zu lesen, aber er konnte sich nicht auf die Seiten konzentrieren. Er mußte dauernd daran denken, was da passiert war: Daß er im Begriff gewesen war, dieser Nonne eine außergewöhnliche Bitte vorzutragen: sein Psychiater zu sein, ihm zu zeigen, wie er mit seiner Frau sprechen mußte. Laut Claire besaß jeder Mensch nur ein bestimmtes Quantum Verständnis, und er, der Headhunter *par excellence*, leerte seinen Becher Einfühlungsvermögen jeden Tag im Büro. Und gerade als er, der gewöhnlich andere ausfragte, ohne etwas von sich selbst preiszugeben, bereit war, seine übliche Rolle aufzugeben, ging die Nonne in ihre Zelle und schlug die Tür zu. Brewis konnte es einfach nicht begreifen. Als es in der Kabine dunkel wurde und der Film begann, schlief er ein.

Die Stimme des Kapitäns, der die bevorstehende Landung in San Francisco bekanntgab, weckte ihn. Zu seiner Überraschung stellte er fest, daß er über zwei Stunden geschlafen hatte und daß der Platz neben ihm leer war. Nach einigen Minuten ging das *No Smoking*-Zeichen an, aber noch immer keine Nonne. Brewis blickte sich um, um zu sehen, ob sie sonst irgendwo in der ersten Klasse war. In dem Moment tauchte Schwester Olivia wieder auf und ließ sich auf ihrem Platz nieder. Brewis drehte sich rasch um und wollte eine höfliche Bemerkung machen, doch die Frau schien seine Existenz vergessen zu haben. Ihre ganze Aufmerksamkeit war darauf gerichtet, in ihrer Tasche herumzukramen. Als sich Olivia Fitzsimmons schließlich aufrichtete, traf sie die volle Wucht seines Blickes. Ihr Lächeln war leicht entschuldigend, als sie auf das Fläschchen in ihrer Hand deutete. »Ich habe bei der Landung immer Probleme, weil mir die Ohren zufallen.« Sie beugte den Kopf nach hinten und träufelte in beide Nasenlöcher einige Tropfen ein. »Ich hoffe, Sie haben gut geschlafen«, sagte sie, als das Fahrwerk den Boden berührte.

Sie waren unter den ersten Passagieren, die das Flugzeug verließen. Brewis beschloß, die Nonne nach ihrer Adresse zu fragen. Warum sollte er seine Bitte um eine Beratung nicht offen aussprechen? Sie hatten das Ende der schmalen Gangway erreicht und waren im Begriff, die Ankunftshalle zu betreten, als das erste Blitzlicht ihn für einen Augenblick blendete. »Peter, das war doch nicht nötig!« rief Schwester Olivia aus, als ihr ein Mann einen riesigen Strauß gelber Rosen in die Hand drückte. Mit den Blumen im Arm lächelte sie strahlend in die Kameras, deren Blitzlichtlampen aufflammten.

»Peter, Schätzchen«, hörte Brewis sie gurren, »warte, bis du das Drehbuch siehst. Es ist besser als *Die fliegende Nonne*. Du hättest mal das Kloster sehen sollen …«

Was macht Tatiana Troyanos in Spartakus' Zelt?

In den Jahren, da die erotischen Phantasien meiner Jugend sich – wenn auch nicht alle – erfüllt hatten, träumte ich manchmal noch von einer Geliebten, die bei der Liebe singt. Einmal geschah es tatsächlich, daß mich eine Frau mit dunkler Stimme besuchte, ihre Gitarre mitbrachte und in einem betörenden Alt zu singen begann. Erschöpft und gesättigt lag ich auf dem Bett und schaute der nackten Frau zu, wie sie ihr Instrument zupfte. Ich war drauf und dran, sie zu fragen, ob sie vielleicht einmal ... Doch feige verbiß ich mir die Frage, weil ich fürchtete, ausgelacht zu werden.

Jahre später sah ich eine Aufführung von Monteverdis *L'incoronazione di Poppea* – eine Oper, die in der Zeit Kaiser Neros spielt, als er noch bei Verstand war – mit Tatiana Troyanos in der Titelrolle. Im Verlauf der Liebesszene, die sich zwischen dem jungen Nero und Poppea auf dem Lager abspielte, gewann die Vorstellung dergestalt an erotischer Deutlichkeit, daß ich mich in meinem Sitz zu winden begann. Normalerweise zähle ich nicht zu den Menschen, die in die Oper gehen, um sich sexuell erregen zu lassen; abgesehen von gelegentlich einer *Salomé* oder *Lulu* ist es überwiegend die Musik, die mich erregt. Aber diesmal war das anders. Urplötzlich wurde mir klar, daß die Troyanos genau die Frau aus meinen Träumen war, die sich vor über 2000 Jahren ins Zelt des Spartakus geschlichen hatte.

In gewisser Weise war ich ein ziemlicher Spätentwickler, bis fast zu meinem 20. Lebensjahr unberührt. Ansonsten aber frühreif, verschaffte ich mir dadurch Ersatz, daß ich mich oft in der köstlichen Wärme einer vollen Badewanne suhlte. Nicht etwa in einer jener modernen Wannen, wo selbst ich – knapp ein Meter fünfundsechzig groß – mich kaum lang ausstrecken kann, wo das seichte Wasser nur mangelhaft den Nabel bedeckt und entweder die Schultern oder die Knie in der Kälte schlottern. Nein, meine geheimen Leidenschaften erhitzten sich in einer weitaus würdigeren Wanne, einer jener vorkriegszeitlichen Ausgaben, in der mir das Wasser schön bis zum Kinn reichte und ich, die eingeseiften Hände zwischen den Beinen, glühend davon träumte, wie ich's mit Veronika Thwale triebe.

Als ich dann eines Tages dieser kühlen, streng gekleideten, androgynen Dame begegnete, die betäubend parfümiert im Mittelschiff einer Kirche wandelte, in ihrem Gebetbuch das *Decameron* versteckt, und sichtlich das Vergnügen der Blasphemie genoß, da schwelgte ich noch lange in einem Zustand der Hingerissenheit, der über Monate anhielt. In ihren Zwanzigern war Veronika haargenau jene raffinierte Kurtisane, auf die ich jahrelang gewartet und die ich nun endlich gefunden hatte: nämlich in Aldous Huxleys *Time Must Have A Stop*. Mein Gott, was für ein rasantes Weib sie war! Einmal übermannte mich unsere Leidenschaft dermaßen, daß ich in meiner zwei Meter langen Badewanne nach vorwärts rutschte und Seifenwasser schluckte. Letztendlich waren es dann aber *Die Gladiatoren* – Arthur Koestlers Roman über den von Spartakus geführten Sklavenaufstand –, die mir Stoff zu meinem weitaus lebhaftesten und längsten Gedankenspiel lieferten. Man soll mich nicht falsch verstehen. In der Zeit, während der ich erwachsen wurde, gab es Monate, ja Jahre ohne einen Gedanken an Spartakus. Trotzdem haben die Erinnerungen nie ganz mein Gedächtnis verlassen. Ich hatte einmal eine Geliebte, die ihren Höhepunkt stets mit einem lang gehaltenen Schrei beendete – ein Rendezvous in einem Hotel war demzufolge kaum möglich –, da habe ich mehr als einmal überlegt, wie wohl der Spartakus in seinem Zelt auf den Steppen der *Campania* eine solche Situation gemeistert hätte. Und als ich 35 Jahre nach der Lektüre des Koestler-Romans im Moskauer Bolschoi-Theater *Spartakus* sah, regten sich erneut die alten Gelüste.

Ich sehe noch genau vor mir, an welcher Stelle im Buch die besagte Szene stand: auf einer linken Seite, ziemlich weit oben, etwa in der 3. oder 4. Zeile. Dort hat Koestler mit ein paar gewandten Sätzen Spartakus' Porträt skizziert: die große, leicht nach vorn gebeugte, in Pelz gehüllte Gestalt; seine ruhelosen Augen, seine Klugheit; seine Sommersprossen; seine Worte, wie sie in den Ohren der Zuhörer dröhnten; und die Frauen, die er in seinem Zelt empfing, um seinen sexuellen Hunger zu stillen. Eines Abends, eben auf jener linken Buchseite, war eine Frau von besonderer Art gekommen. Ich, das keusche Kind, sah alles deutlich vor mir abrollen: wie sich die Zeltklappe langsam hob und die Frau barfuß ins Innere glitt, umweht von einem Hauch von Moschussalben-Duft und weiblichem Schweiß; die schokoladenfarbene Haut glänzend im blakenden Fackelschein; ihre festen Brüste gekrönt mit steilen Warzen, die funkelten wie Diamanten an einem Ring. Sie kniete neben Spartakus nieder, streifte wortlos sei-

nen Pelz zurück und begann, ihn zu liebkosen. Spartakus ergriff ausnahmsweise nicht die Initiative; viel-
mehr ließ er sich von der Frau verwöhnen. Sobald sie
wahrnahm, daß er erregt war, begann sie mit tiefer
Stimme zu singen, bestieg ihn – es war das erste Mal,
daß eine Frau den Spartakus bestieg – und, als sein
Phallus tief in sie eingedrungen war, ritt sie ihn immer
wilder, immer lauter singend, bis sie in einem orgasti-
schen Fortissimo endete. Na, ich ahne, was Sie jetzt
denken. Ich möchte nur daran erinnern, daß ich Koestlers Roman vor fast 40 Jahren gelesen habe – zu einer
Zeit also, als ich noch ein unschuldiger Jüngling war,
der sich nichts sehnlicher wünschte, als daß ihm der
Pelz endlich – dergestalt – geöffnet würde.

Nach *Poppea* habe ich die Troyanos in vielen Rollen
gesehen: in Händels Oper als einen sehr männlichen
Julius Caesar; als launische Dorabella in *Così Fan Tutte;*
und jüngst in einer Konzertaufführung von Berlioz'
Les Nuits d'Eté. Nach der Vorstellung traf ich einen
Musiker, den ich gut kannte, und gestand ihm, wie
sehr mich der Troyanos' Gesang begeistert hatte.
Spontan und ohne viel Überlegung erzählte ich ihm
die Koestler-Geschichte – er ist der einzige Mensch,
der sie je zu hören bekam – und gab zu, daß mir in
Troyanos' *Poppea* endlich die Frau meiner Badewan-
nenschwärmereien begegnet sei. Ich enthüllte sogar
meine kühnste Troyanos-Phantasie; ihr zu lauschen,
während wir gemeinsam in der Badewanne einge-
weicht lägen. Da überrumpelte mich mein Musiker-
freund mit der Frage, ob er mich der Madame Troyanos vorstellen solle; er könne eine solche Begegnung
arrangieren. »Unter keinen Umständen«, protestierte
ich vielleicht ein bißchen zu heftig, denn als ich seine

bestürzte Miene sah, fühlte ich mich veranlaßt, ihm zu erklären, daß dies womöglich eine lebenslang still gehegte Illusion gleich einer Seifenblase zum Platzen bringen könnte. Oder aber, wenn ich, all meinen Mut zusammennehmend, plötzlich herausplatzen würde mit der Frage: »Gnädige Frau, singen Sie auch beim Liebesakt?« – sie, ihre großen Augen voller Ironie auf mich geheftet, hauchen würde: »Natürlich. Immer.« Was dann? Würde ich es wagen, ihr zu gestehen, welches Lied ich wünschen würde, wenn sie ...

Statt dessen ging ich nach Hause und entschloß mich, *Die Gladiatoren* noch einmal zu lesen, die ich in den letzten 38 Jahren keines Blicks gewürdigt hatte. Der gesuchte Band ließ sich jedoch in meiner Bibliothek nicht finden; er war wohl bei einem meiner vielen Umzüge verloren gegangen. Die örtliche öffentliche Bibliothek hatte das Buch auch nicht. Endlich entdeckte ich dann in der Universitätsbibliothek ein etwas zerlesenes Exemplar der Macmillan-Ausgabe, dritte Auflage 1950. Ich nahm den Band mit nach Hause und begann sofort, die oberen Hälften aller linken Seiten fieberhaft zu überfliegen. Dazu brauchte ich gut eine halbe Stunde, da ich hin und wieder innehielt, um den einen oder anderen Absatz zu lesen. In meiner Ungeduld muß ich die Seiten wohl zu hastig durch geblättert haben, um die besagte Szene zu finden. Ich fand sie nicht. Nun, tröstete ich mich, vielleicht ist diese Ausgabe neu gesetzt worden. Also zurück auf Seite 1 und ran an die rechten Seiten. Wiederum nichts. Das war ja unerhört, lächerlich! Es gab keinen Zweifel, daß ich Troyanos in *Poppea* tatsächlich gesehen hatte, und jede Faser in mir wußte – Erinnerungen an geheimste, innerste Phantasien –, daß da eine Frau im Zelt des

Spartakus gewesen war. Ich war durchaus gewillt, einige kleine Gedächtnislücken einzuräumen; aber die Tatsache, *daß* sie Spartakus bestieg und dabei sang, das *mußte* einfach drinstehen.

Also nahm ich das Buch mit zu Bett und las es, sehr langsam, und mit dem Prolog beginnend: »Es ist noch Nacht. Noch hat kein Hahn gekräht.« Ein großartiger Anfang, und ich kostete jede Seite aus, jede, bis ich auf Seite 84 kam – eine linke Buchseite. Hier, in den Zeilen 12 bis 14, von unten, läßt Koestler den Spartakus folgende Worte an Crixus richten: »Ich bin noch nie dort gewesen. Es muß eine sehr schöne Stadt sein. Ich schlief einmal bei einem Mädchen, und sie sang dabei. So muß Alexandria sein.«

Ich bin weder in Alexandrien gewesen, noch habe ich je mit einer Ägypterin geschlafen. Aber sollte mir irgend jemand noch einmal das Angebot machen, mich Tatiana Troyanos vorzustellen, ich würde ohne zu zögern annehmen.

Die Toyota-Gesänge

Ich halte das Ganze noch immer für absurd. Da lag ich nun im Krankenhaus, den Arm in Gips, bedauerte mich selbst und wußte noch immer nicht genau, wie ich Beas Wagen zu Schrott gefahren hatte. Nach Aussage der Polizei war es ein Totalschaden. Sie ließen ihn einfach auf den Autofriedhof abschleppen. Und was tat ich? Ich wartete nicht einmal, bis ich wieder zu Hause war. Ich rief meine Frau in Paris an. »Bea«, sagte ich. Oder vielleicht auch ›Be-ah-trrri-tsche‹, was unter den gegebenen Umständen vermutlich ein Fehler war. Das erste Mal sprach ich ihren Namen auf diese Weise auf einer Party der Abteilung aus, als ich noch Lehrbeauftragter war. Sie lachte nur. Ich glaube, sie wollte dem angehenden Dante-Kenner nicht den Spaß verderben. Beim nächsten Mal antwortete sie nur mit einem Lächeln, aber danach blickte sie nur noch gequält drein. Einmal, ein paar Jahre später, explodierte sie: »Verdammt noch mal, Lionel, du hast mich ja nur geheiratet, um demonstrieren zu können, daß du wie Dante eine Be-ah-trrri-tsche hast.« Ich sagte ihr, sie solle keinen Unsinn reden, denn wenn dem so wäre, hätte ich sie von Anfang an Be-ah-trrri-tsche genannt. Danach versuchte ich allerdings, vorsichtig zu sein und es nicht zu übertreiben.

Von meinem Krankenhausbett aus sagte ich: »Be-ah-trrri-tsche, ich kaufe dir ein neues Auto. Was für eines möchtest du?« Als sie antwortete: »Ich brauche kein neues Auto, ich *habe* eines, das noch prima läuft«, hätte ich vermutlich nicht versuchen sollen, komisch zu sein. Ich hätte nicht sagen sollen: »Bea, du *hattest* eines, aber ich habe es kaputtgefahren.« Aber das war für sie doch kein Grund, wütend zu werden. Sie brauchte wirklich nicht darauf herumzureiten, indem sie fragte: »Warum um alles in der Welt hast du denn mein Auto genommen? Du bist doch seit Jahren nicht mehr Auto gefahren.« Natürlich habe ich seit Jahren kein Auto mehr gefahren. Wer braucht schon ein Auto in Manhattan? Und wenn wir tatsächlich mal das Auto nehmen müssen, fährt ohnehin immer sie. Und wer ist schließlich mitten im Semester nach Paris abgebraust? Sie oder ich? Also sagte ich zu ihr: »Bea, die ganze Geschichte dauert am Telephon viel zu lang. Ich erzähle dir die Einzelheiten, wenn ich wieder zu Hause bin.« »Was heißt hier ›wieder zu Hause‹?« antwortete sie wie aus der Pistole geschossen. »Wo bist du denn?« Als sie hörte, daß ich noch im Krankenhaus war, wurde sie manierlicher. Ich setzte ihr auseinander, daß ich nur deshalb noch im Krankenhaus war, weil ich bei dem Unfall das Bewußtsein verloren hatte. Sie wollten sicher sein, daß ich nichts Ernsteres hatte als einen gebrochenen linken Arm. Genau da kam sie mit einer höchst merkwürdigen Frage daher. Diese Frau, mit der ich seit über dreißig Jahren verheiratet bin, fragte mich – fünftausend Kilometer entfernt in einem Krankenhaus –, ob ich die Stoßstangenaufkleber hätte. Nein, das stimmt nicht ganz; ich greife meiner Geschichte vor. So erzähle ich Witze immer – ich verrate die Pointe zu früh. Sie fragte zunächst, ob der Wagen vorne oder hinten demoliert worden sei. Als ich ihr sagte, daß es hauptsächlich vorne und an den Seiten sei, klang sie erleichtert. Erst dann fragte sie, ob ich die

Stoßstangenaufkleber gerettet hätte. Zuerst dachte ich, ich hätte mich verhört, aber als sie es buchstabierte: »STOSSSTANGENAUFKLEBER«, wußte ich nicht, sollte ich lachen oder ärgerlich werden. Gott sei Dank lachte ich nicht, denn sie meinte es wirklich ernst. Statt dessen sagte ich: »Klar, ich besorge dir deine Aufkleber«, aber wenn ich gewußt hätte, auf was ich mich da einließ, hätte ich den Mund gehalten. Ich bin angeblich ein führender Dante-Kenner – ›Dantesoph‹ nannte sie mich, als ich sie einmal zu oft ›gebeah-trrri-tschet‹ hatte. (Es war nicht gerade förderlich, als ich darauf hinwies, daß sie Latein und Griechisch vermischte.) Inhaber des Lamont-Lehrstuhls an der Universität New York; ein Mann, für den Autos eine unnötige Belastung sind; dem viel daran liegt, die Taxi-Industrie zu unterstützen; ausgerechnet ich war auf dem Weg zum größten Autofriedhof von New Jersey. Als wir endlich dort ankamen, ging ich geradewegs in das Büro, im Grunde nichts weiter als eine Bretterbude, und fragte den Burschen, der den Laden beaufsichtigte, wie ich mir etwas von unserem Toyota besorgen könnte. »Was für'n Toyota?« fragte er »Von denen wimmelt's hier nur so.« Das war das erste Problem: Beas Auto war ein zwei Jahre alter Toyota – ich kann mich nie darauf besinnen, ob ihn das zu einem 85er oder einem 86er machte –, kastanienbraun, viertürig, aber ich konnte mich nicht an den Namen des Modells erinnern. »Wann hat man ihn hergebracht?« fuhr er fort und schlug eine Kladde auf. »Das muß irgendwann im Laufe der letzten vier Tage gewesen sein«, erwiderte ich. Schließlich hatte nicht ich die Sache veranlaßt, ich war ja im Krankenhaus. Und dann trat Problem Nummer zwei auf: »Wie ist das Kennzeichen?« fragte er.

Das Kennzeichen? Woher um alles in der Welt sollte ich das Kennzeichen kennen? Ich belaste mein Gehirn doch nicht mit solchen Lappalien. Ich kenne nicht einmal meine Sozialversicherungsnummer. Und zwar absichtlich nicht. Ich brauche meine vorhandenen Synapsen doch nicht für bürokratischen Detritus auf, wenn ich jederzeit irgendwo nachsehen kann. Ich teilte ihm das in schlichten Worten mit – ich dachte mir, daß ›Detritus‹ nicht zu seinem Vokabular gehörte. Der Mann sah mich an, als ob ich verrückt wäre. Er knallte die Kladde zu. »Beschaffen Sie sich Ihre Autonummer und kommen Sie dann wieder.« Ich hätte ihm mit »Nicht gezürnet, Charon« die Sprache rauben sollen. Aber ich bezweifle, daß er den dritten Gesang des *Inferno* gelesen hatte.

Statt diesem Wagenbestatter, diesem Zerberus eines Automobil-Infernos die Stirn zu bieten, trottete ich zurück zu meinem Taxi, fuhr nach Hause und rief meine Frau an, wobei ich vergaß, daß es in Paris ein Uhr dreißig morgens war. »Was hast du für eine Autonummer?« fragte ich. Das stimmt eigentlich gar nicht. Ich kam mir zu blöd vor, um mit dieser Frage anzufangen. Ich versuchte, witzig zu sein: »Laß dich's, weil etwas spät ich wohl gekommen, nicht reu'n, mit mir zu weilen im Gespräche.« Ich konnte sie fünftausend Kilometer entfernt stöhnen hören. »Welcher verdammte Gesang ist das schon wieder?« »*Inferno* 27«, erwiderte ich, aber sie fand das weder komisch noch geistreich, nicht um ein Uhr dreißig morgens. Also kam ich zur Sache: Wenn ich ihr ihre Stoßstangenaufkleber besorgen sollte, mußte ich zunächst einmal den Wagen finden, und dazu mußte ich das Kennzeichen haben. Und da erlebte ich eine weitere Überraschung. »TU ES«, sagte sie mit einer Stimme, aus der alle Schläfrigkeit gewichen war. Zuerst verstand ich nicht. »Tu was?« fragte ich. Aber dann setzte sie mir auseinander, daß das auf unserem Nummernschild stand. »Was heißt hier ›unserem‹? Deinem!« Ich wollte klipp und klar zum Ausdruck bringen, daß ich mich in keinster Weise mit einer derart lächerlichen Aufschrift in Verbindung bringen ließ. Aber wie war es nur möglich, daß ich seit zwei Jahren auf dem Beifahrersitz ihres Toyotas mitfuhr und nie das Nummernschild bemerkt hatte? Vermutlich habe ich nie nachgesehen. Einen solchen Blödsinn auf ein Nummernschild zu setzen! Ich fragte mich, was sie mit TU ES wohl gemeint hatte. Aber andererseits mußte ich zugeben, daß ich nie bemerkt hatte, daß der Wagen überhaupt Stoßstangenaufkleber hatte. »Weißt du, was dein Problem ist?« fragte meine Frau. »Viel Versprechen und wenig Halten. *Inferno*, gleicher Gesang.« Wenn sie nicht sofort aufgelegt hätte, hätte ich ›Brava!‹ gerufen.

Es war mir noch immer schleierhaft, wie ich es geschafft hatte, das Nummernschild zu übersehen. Wissen wirklich viele Leute, was auf dem Nummernschild ihres Autos steht? Ich beschloß, aufs Geratewohl ein Experiment durchzuführen: Ich wollte die ersten drei Kollegen befragen, denen ich in der Mittagspause in der Mensa begegnete. Wie es der Zufall wollte, war mein erstes Opfer ausgerechnet ein Philosoph, nämlich Jerome Scheldrich. Er lachte nur schallend. »Wer besitzt schon ein Auto in Manhattan?« Mehr hatte er dazu nicht zu sagen. Der nächste war Noel Fenton. Er gab sofort zu, daß er das Kennzeichen seines Wagens nicht kannte und auch noch nie gekannt hatte, und begann dann – da er nun einmal Psychologe ist –, mir eine detaillierte Analyse vorzutragen, warum er sich nie an seine eigene Autonummer erinnerte. Ich strahlte nur so. Daraufhin änderte ich die Regeln meiner privaten Umfrage: Als ich Mario Bonomico, einen Kollegen aus meiner eigenen Fakultät, an einem Tisch sitzen sah, beschloß ich, ihn zu fragen. Als guter Italiener erwies er sich als das interessanteste und verständnisvollste Versuchsobjekt. Er kannte sein Kennzeichen tatsächlich, aber nur aufgrund einer hochkomplizierten Eselsbrücke. Er hatte sie ausgeklügelt, als sein Auto einmal abgeschleppt wurde, nachdem er eine polizeiliche Mitteilung betreffs eines falsch geparkten Kraftfahrzeugs mit seinem Kennzeichen fröhlichen Herzens ignoriert hatte. Trotzdem fand ich, daß es irgendwie noch immer 3:0 für mich stand.

Am nächsten Tag fuhr ich mit einem anderen Taxi wieder zum Autofriedhof. Ich darf gar nicht daran denken, was ich für diese Taxifahrten ausgab. Wenn ich schon einen Unfall haben mußte, warum, so fragte ich mich, hatte ich ihn nicht wenigstens in Manhattan? Jedenfalls saß wieder der gleiche Typ am Schreibtisch. Mein Gott, dachte ich, *Inferno*, Fünfter Gesang.

Hier stehet Minos grauenvoll und knirschend:
Er untersucht die Schuld beim Eintritt, richtet,
Und weist hinab nach Zahl der Schweifesschwingen.

Er erkannte mich gleich wieder. »Na, wie ist Ihre Autonummer?« fragte er ganz schön herablassend. »TU ES«, brüllte ich geradezu. »He, was soll das heißen?« rief Minos aus. »Tu was?« Ich mußte einfach lachen

155

und erklärte ihm dann, was es mit dem Nummernschild auf sich hatte. Ich glaube, damit war das Eis ge-
brochen; nachdem er in seinem Buch nachgesehen hatte, führte er mich tatsächlich hinaus in sein Reich. Ich
konnte nur an die Gesänge 27 bis 30 des *Inferno* denken. So wie Dante »von Kreis zu Kreis« durch die Höl-
le wanderte, wo er »verstümmelte betrübte Seelen«
sah, so starrte ich auf diese unglaubliche Ansammlung
von Kraftfahrzeug-Leichen. Der Mann deutete ganz
allgemein in Richtung des linken Zaunes und verzog
sich dann mit den Worten: »Ihr Toyota muß irgendwo
da drüben sein.« Während ich herumstolperte und
nach einem kastanienbraunen Wrack suchte, kamen
zwei Lastwagen an, einer nach dem anderen, und ließ-
en neben mir ihre schrottreife Fracht fallen. Also ließ
ich Dante fallen und konzentrierte mich auf diesen Autofriedhof in New Jersey. Wegen meines Gipsarms
mußte ich vorsichtig sein, während ich da um die
Wracks herumturnte. Endlich fand ich ›TU ES‹ – es
sprang mir praktisch in die Augen, aber ich war von
dem ganzen Durcheinander so überwältigt, daß ich es
zunächst übersehen hatte. Und da wären auch die
Stoßstangenaufkleber. Die Schrift auf dem ersten, den
ich sah, war klein und mit Schmutz bespritzt. Dennoch
konnte ich einen Teil des Textes entziffern: »Doch um
so schlimmer wird das Land …« Können Sie sich vorstellen, daß wir mit einem Wagen herumkutschierten,
auf dem so etwas stand, und ich das überhaupt nicht
wußte? Es kam mir irgendwie bekannt vor, wie ein
Spruch in einem chinesischen Glückskuchen, aber was
um alles in der Welt hatte es auf ihrer hinteren Stoßstange zu bedeuten? Ich dachte mir, daß ich den Sinn
schon herausbekommen würde, wenn ich wieder zu

Hause war. Jetzt wollte ich nur noch mit den Stoßstangenaufkleber weg von hier. Dann ging mir auf, daß ich vergessen hatte, ein Messer oder eine Rasierklinge mitzubringen. Wie sollte ich die Aufkleber ablösen? Ich ging wieder in die Bretterbude und fragte den Mann, ob er mir eine Rasierklinge leihen könnte. »Wofür?« fragte er neugierig. Als ich ihm erklärte, daß ich ein paar Stoßstangenaufkleber entfernen wollte, war er zunächst verdutzt und gab mir dann, in bemerkenswert freundlichem Ton, einen verblüffenden Tip: »Rasierklingen ruinieren bloß alles. Mit 'nem Haartrockner ist es ein Klacks.« Ich brauchte ihm nicht zu sagen, daß ich normalerweise nicht mit Haartrocknern herumlaufe. Also sagte ich dem Mann, daß ich dann eben die ganze hintere Stoßstange mitnehmen würde, und fragte, ob er sie für mich abmontieren würde. Er warf mir einen verschlagenen Blick zu. »Klar, aber das kostet Sie vierzig Piepen.« »Vierzig Dollar!« protestierte ich. »Das ist *mein* Auto!« »Das *war* Ihr Auto«, gab er zurück. »Wir kriegen die Wracks, weil wir sie hier auf Lager nehmen. Wenn Sie Lagergebühren zahlen wollen … mal sehen, wie lang war Ihr Wagen da?« Also gab ich ihm das Geld. Es war erstaunlich, wie schnell er die Stoßstange abmontiert hatte, aber Sie hätten das Gesicht des Taxifahrers sehen sollen, als wir beide mit einer schmutzigen Stoßstange ankamen und ihn baten, sie in seinen Kofferraum zu legen.

In diesem Fall bedauerte ich es, in einer Universitätswohnung zu leben. Ich hätte gerne auf die subventionierte Miete verzichtet im Austausch gegen die Anonymität einer ganz gewöhnlichen Wohnung in Manhattan. In diesem Haus sind Sie nicht einfach

Wohnung 9A oder der Mann aus 14E. Hier sind Sie Jasper Ellis Duff von der juristischen Fakultät (warum schreiben die Juristen nur immer ihren zweiten Vornamen aus?) oder Serge Goronsky aus der Mathematik. Diese Leute kennen schon den ganzen Tratsch aus Ihrer Abteilung, bevor Sie auch nur nach Hause gekommen sind. An diesem Tag war es nicht anders. Als ich mit der schmutzigen Stoßstange im guten Arm in den Fahrstuhl stieg, kam keine andere als Mrs. Basamutary herein, die neugierigste Person im ganzen Haus. »Professor Trippett«, sagte sie, bevor noch die Tür richtig zugegangen war, »was machen Sie denn mit diesem Ding da?« Gott sei Dank hielt ich die Stoßstange so, daß die Aufkleber auf meine Jacke blickten. Ich zuckte nur die Achseln und erkundigte mich nach ihrem Mann. Dennoch würde ich jede Wette eingehen, daß, noch bevor der Abend um war, kaum jemand in unserem Wohnhaus nicht davon gehört hatte, daß Professor Lionel Trippett, aus der italienischen Abteilung, mit einer schmutzigen Stoßstange im rechten Arm herumlief, weil sein linker in Gips war.

Sowie ich unsere Wohnung betrat, legte ich das ›Ding da‹ in die Badewanne und spritzte es ab. Das war vielleicht ein Dreck! Die ganze Badewanne war schmutzig, also putzte ich sie, während die Stoßstange trocknete. Dann suchte ich nach einem Haartrockner. Natürlich war keiner da. Bea hatte ihn nach Paris mitgenommen. Ich hatte keine Lust, nochmals loszuziehen und einen zu kaufen. Ich überlegte mir, wo ich mir in diesem Wohnhaus einen Haartrockner leihen konnte, ohne neue Fragen heraufzubeschwören. Und dann fiel mir Professor Mitsuhashi ein, ein neues Mitglied der Fakultät aus Japan. Sein gebrochenes Englisch und die Tatsache, daß er Chemiker war, waren Grund genug, daß wir nicht über das Stadium der Grußbekanntschaft hinausgekommen waren. Die Mitsuhashis erwiesen sich als gute Wahl. Seine Frau machte die Tür auf; ich erhielt nur ein überraschtes »Ach so« und den Haartrockner. Ich frage mich, ob sie ihrem Mann jemals etwas von dem »*Grazie, bellissima*« erzählt hat, als ich den Fön zurückbrachte.

Ich setzte mich hin, um die Aufkleber zu inspizieren. Es waren drei, alle gleich groß und ungewöhnlich klein bedruckt. Man hätte schon ein ausgezeichnetes Sehvermögen haben müssen, um den ziemlich langen Text von einem anderen Wagen aus lesen zu können. Jetzt hatte ich ihn natürlich in greifbarer Nähe, und außerdem trug ich meine Lesebrille. Aber als ich den Haartrockner behutsam auf die Aufkleber richtete und sie abzuziehen begann, stieß ich darunter auf eine zweite Reihe von Aufklebern und dann auf eine dritte. Sie waren aufeinander geklebt worden, ziemlich sorgfältig, wie ich zugeben muß, so daß jeweils nur drei zu sehen waren.

Plötzlich überlief mich eine Gänsehaut. Das Wort »Intellektes« auf einem der Stoßstangenaufkleber und das 3 x 3-Schema wurden mir fast gleichzeitig bewußt. Für Dante war die Drei die vollkommene Zahl: 3 Teile hat seine *Göttliche Komödie*; 3 Zeilen jede Strophe; jeder Teil 33 Gesänge; 3 mal 3, die magische Zahl 9, um seine Beatrice zu beschreiben. Aber ich gehe jede Wette ein, daß nur wenige Leute bei dem Wort »Intellektes« hellhörig geworden wären. Mir ging ein Licht auf. Kleine Bea! Meine wundervolle Be-ah-trrri-tsche! Ich war so aufgeregt, daß ich die neun Aufkleber auf dem Teppich auslegte und durchnumerierte: 1, 2 und 3 waren die ursprünglichen Aufkleber, die ich mittels der Haartrockner-Methode als letzte freigelegt hatte. Die Nummern 7, 8 und 9 waren natürlich chronologisch gesehen die jüngsten. Der Aufkleber, den ich auf dem Autofriedhof sah, stellte sich als Beas Stoßstangen-Gesang Nummer 8 heraus.

DIE TOYOTA-GESÄNGE

1. Wenn sich entbrannte Stücke treffen, unzählige Funken steigen. *(Par. 18)*
   Nicht verberg' ich mein Herz dir. *(Inf. 10)*
2. Es wird mit ... in engem Raume viel geschrieben stehen. *(Par. 19)*
   ... weil nur vom Sinnlichen er kann entnehmen, was er dann würdig macht des Intellektes. *(Par. 4)*
3. Es scheint, ihr seht ... doch für die Gegenwart verhält sich's anders. *(Inf. 10)*
   ... warum in diesem Kreise schweiget der süße Chorgesang ... der also fromm klang in den andern drunten. *(Par. 21)*
4. Warum doch schwärmt dein Geist mehr, als sonst er pfleget? *(Inf. 11)*
   Nicht Wissenschaft ist's, gehört zu haben, ohne zu behalten. *(Par. 5)*
5. Die Zeit, die uns ist angewiesen, geziemt's nutzbringender uns zu verteilen. *(Purg. 23)*
   Hast du verstanden? Wohl, so nütz' die Lehre. *(Inf. 24)*
6. ... es ist nicht Zeit mehr, zögernd so zu wandeln! *(Purg. 12)*
   Schone hier nicht deine Blicke. *(Purg. 31)*

7. Gib acht, daß du von mir getrennt nicht werdest. (*Purg.* 16)

   Gekostet würd' ... der Reue Zoll, die Tränen macht vergießen. (*Purg.* 30)

8. Doch um so schlimmer wird das Land ... durch schlechten Samen und des Anbaus Mangel. (*Purg.* 30)

9. Schau mich recht an, ich bin, ich bin Beatrice. (*Purg.* 30)

   Begebt euch nicht aufs hohe Meer, ihr möchtet verirrt dort bleiben ... (*Par.* 2)

Der Moment ist gekommen, ein Geständnis abzulegen: Das einzige, auf das ich zu diesem Zeitpunkt gestoßen war, war die Dantesche Arithmetik – zugegebenermaßen ein wichtiger Schlüssel – und das eine Wort ›Intellektes‹, das sich als mein Stein von Rosette entpuppte. Ich stürzte mich von neuem auf Beas Stoßstangen-Gesänge – der Ausdruck gefiel mir und wurde prompt in mein privates Vokabular aufgenommen –, um nach weiteren Beiträgen von Dante zu suchen. Teile der Stoßstangen-Gesänge 1, 3, 8 und 9 erwiesen sich als recht einfach – besonders die Nummer 9, die mit »ich bin Beatrice« endet. Inzwischen war ich davon überzeugt, daß alle ihr Gegenstück in der *Göttlichen Komödie* hatten.

Mindestens drei Stunden vergingen mit einem verteufelt vergnüglichen Spiel, wie sich herausstellte, bevor ich mir der Tatsache bewußt wurde, daß ich genau das tat, was Bea in ihrer *Tragica Commedia* auf der Stoßstange kritisiert hatte. Es ging eindeutig darum, zu verstehen, *was* sie sagte, und nicht, *wo* das Zitat bei Dante zu finden war. Ich hörte auf, bei den Stoßstangen-Gesängen nach Hinweisen auf Dantes Gesänge zu suchen. Statt dessen las ich sie einfach auf den Inhalt hin nochmals durch, und da begann mir die Botschaft aufzugehen.

Aber lassen Sie mich zu meiner Geschichte zurückkehren. Meine neue Sekretärin heißt Jennifer. Es ist erstaunlich, wie viele junge Frauen Mitte zwanzig heutzutage Jennifer heißen. Diese Jennifer ist eine der tüchtigsten Sekretärinnen, die ich je hatte. Und was noch wichtiger ist, sie ist bemerkenswert diskret. Ich fand, daß sie genau der Mensch war, der mir helfen konnte. »Jennifer«, sagte ich. Ich benutze ihr gegenüber nie ›Jenny‹ oder einen anderen Spitznamen, und ich glaube, sie weiß das zu schätzen. »Wo kann man speziell angefertigte Stoßstangenaufkleber bestellen?« Das war höchstwahrscheinlich eine seltsame Frage für einen Mann in den Fünfzigern, nicht nur für einen Professor für italienische Literatur. Nichtsdestotrotz tat Jennifer, als wäre das die natürlichste Frage, die man einer Universitätssekretärin stellen konnte; besonders einer, deren Tipparbeiten sich im wesentlichen mit Fragen des 14. Jahrhunderts befassen. Schon nach wenigen Minuten lieferte sie mir den Namen eines Ladens in Soho, der Ansteckplaketten, alle möglichen dummen Sprüche und jede Menge Stoßstangenaufkleber verkaufte. Sie hatte sich sogar telephonisch bestätigen lassen, daß Spezialaufträge binnen achtundvierzig Stunden erledigt wurden.

Der Laden war erstaunlich. Ich hatte wohl an die zwei Stunden herumgestöbert, bevor ich plötzlich genau das fand, was ich suchte. Ich wünschte nur, es wäre mir selbst eingefallen. Ich weiß noch immer nicht, warum es unter den Umweltthemen vergraben war: den Aufrufen zur Rettung der Wale und gegen die Atomkraft. Ich reichte dem Verkäufer den Zettel mit den Code-Ziffern. »Haben Sie diesen Stoßstangenaufkleber vorrätig, oder müssen Sie ihn drucken?« erkundigte ich mich. »Karma?« las der Mann vor. »Ah, jetzt versteh ich. Wo haben Sie ihn denn gefunden? Der ist mir neu. Mal sehen, ob wir ihn haben.« Ich hielt ihn auf. »Warten Sie«, sagte ich, »können Sie diesen Text für mich drucken und noch ein paar Wörter hinzufügen?«

Ich rief wieder Bea in Frankreich an und sagte ihr, daß kein Grund bestehe, die Reservierung für ihren Charterflug zurück nach New York zu stornieren – der Gipsarm tue nicht mehr weh, und zum Glück sei es ja der linke. Dadurch hatte ich genügend Zeit, den neuen Stoßstangenaufkleber zu besorgen und Jennifer um einen weiteren persönlichen Gefallen zu bitten. Ich bin keiner von denen, die ihre Sekretärin für persönliche Besorgungen benutzen, doch in diesem Fall verstand Jennifer, warum ich ihre Hilfe brauchte. Ich wollte, daß die alte Stoßstange auf Hochglanz gebracht wurde – sie sollte als meine neue Palette dienen – und das war mit einem Gipsarm schwierig. Außerdem wollte ich, daß sie in elegantes Geschenkpapier eingepackt und mit einer großen Schleife geschmückt wurde, und ich bin schon immer ein miserabler Geschenke-Einpacker gewesen, auch ohne gebrochenen Arm. Aber das sagte ich Jennifer nicht.

Bevor ich mit dem Taxi zum Kennedy-Flughafen fuhr, um Bea abzuholen, legte ich das lange Paket auf den Couchtisch und darauf das große Manilakuvert.

Es enthielt die quittierte Rechnung für den neuen Toyota, die neun sorgfältig getrockneten und chronologisch angeordneten alten Stoßstangenaufkleber und einen kurzen Brief. Ihn zu schreiben erwies sich als eine Heidenarbeit – viel mehr, als ich gedacht hatte, aber Bea hatte schließlich einen Präzedenzfall geschaffen. Der Brief wurde zu meiner Version ihrer Stoßstangen-Gesänge, durchsetzt mit etwas Lionel Trippett im Original.

Oh teure, süße Führerin Beatrice!

Ich brauche dir nicht zu sagen, woher diese Einleitung stammt. Früher einmal wäre es wohl bezeichnend für mich gewesen zu sagen, daß mein ›Geist nicht befriedigt durch ein Beispiel, des Wurzel unbekannt ist und verborgen‹. Aber trotz des Ursprungs dieses Zitats (Par. 17) ist es unwahrscheinlich, daß es uns ins Paradies führt.

Ich hätte antworten können: ›Ehrenwerter Bitte muß durch Erfüllung schweigend man willfahren‹ (Inf. 24) und hinzufügen können: ›Nicht kann ich mich erinnern, daß ich mich je von euch entfremdet hätte‹ (Purg. 33).

Ich hätte mich beklagen können: ›Welch herber Biß dir ist ein kleiner Fehler!‹ (Purg 3).

Ich hätte Ausflüchte gebrauchen können: ›Oder sind deine Worte mir nicht ganz verständlich?‹ (Purg 6).

Aber ich bin sicher, daß Du – die Du Dante auf so ganz andere Art studiert zu haben scheinst als ich – entgegnet hättest: ›Meine Schrift ist deutlich, wenn mit gesundem Sinn man wohl drauf merket.‹ (Purg 6). Daher habe ich Deinen Rat ›Schone hier nicht deine Blicke‹ und Dantes (Purg 8) ›Jetzt, Leser, such geschärften Blicks die Wahrheit‹ befolgt. Jetzt, wo ich verstehe, daß ›in der Tat oftmals Dinge erscheinen, die einen falschen Stoff zum Zweifeln bieten, weil die wahrhaft'ge Ursach' bleibt verborgen‹ (Purg. 22), *verspreche ich, daß nun* ›*gleich Träumenden ich nicht mehr sprech*‹ (Purg. 33).

Wenn ich ›*den Teil in mir, der die Sonn' erträgt und schaut*‹ (Par. 20) *betrachte, wird mir klar, daß ich viele Dinge als selbstverständlich hingenommen habe. Ich war schon im Begriff, sie hier aufzuzählen, aber eigentlich solltest Du sie aus meinem eigenen Munde hören. Du solltest mir Fragen stellen; vielleicht in der Weise, wie Dante Fragen gestellt wurden, bevor er des Paradieses für würdig befunden wurde. Ich würde gerne etwas machen, was wir, seltsamerweise, in all den Jahren unserer Ehe noch nie gemacht haben: nämlich gemeinsam Dante lesen. Deine* ›*Stoßstangen-Gesänge*‹ *– so habe ich Deine Botschaften genannt, die ich, buchstäblich und bildlich, nie gesehen habe – zeigten mir, daß es mindestens noch eine weitere Art gibt, die Göttliche Komödie zu lesen. Diesmal möchte ich sie auf Deine Weise sehen, den das* ›*Seligsein ist auf den Akt des Schauens, und nicht den des Liebens, der dann folget*‹ *begründet. Wie Du Dir denken kannst, stammt das aus dem* Paradiso, *und ich hätte gerne, daß unsere gemeinsame Lektüre mit Gesang 28 beginnt.*

Ich kann nicht widerstehen, diesen Brief mit einer Zeile aus Dantes allerletztem Gesang zu beenden: ›*Drum, da ich's sage, zu größrer Lust mein Innres sich erweitert.*‹ *Ich hoffe, daß auch Dein Innres sich erweitert, wenn Du das beiliegende Paket aufmachst.*

Lionel

Auf dem Weg vom Kennedy-Flughafen nach Hause unterließ ich es bewußt, über den Unfall oder den Wagen zu sprechen. Ich bestand darauf, daß Bea mir von ihrem Aufenthalt in Paris erzählte. Es war das erste

Mal seit Jahren, daß sie allein nach Europa gefahren war, und so war meine Neugier nur natürlich. Als wir in unseren Fahrstuhl stiegen, fing ich an, nervös zu werden. Gott sei Dank war weder eine Mrs. Basamutary noch eine Mrs. Mitsuhashi im Lift. Ich führte Bea geradewegs in das Wohnzimmer und wartete, bis sie das Paket und das Kuvert entdeckte. »Was ist das?« fragte sie. »Das ist für dich«, erwiderte ich, »aber mach zuerst das Kuvert auf.« Sie warf mir einen seltsamen Blick zu und riß dann das große braune Kuvert auf. Der Anblick der alten wohlbekannten Stroßstangenaufkleber rief ein nervöses Lachen hervor, das abbrach, als sie meinen Brief zu lesen begann. »O Lionel!« sagte sie in einem völlig ungewohnten Ton, »das ist wirklich nicht nötig …« »Ist schon okay«, sagte ich. »Mach doch mal das Paket auf.«

Behutsam öffnete sie das Paket, um das Einwickelpapier nicht zu zerreißen. Sie hob geradezu zwanghaft jedes Bändchen und jedes Stück Papier auf – es machte mich manchmal rasend, ihr zuzusehen, wenn sie Geburtstagsgeschenke auspackte. Doch diesmal machte es mir nichts aus. Ich wollte, daß alles in Zeitlupe ablief.

»O Lionel! Lionel, du Spinner, das war doch nicht nötig«, murmelte sie.

»Du wiederholst dich, mein Schatz«, sagte ich, und da fing sie an zu weinen. Das hatte sie seit Jahren nicht mehr getan. Seltsam. Schließlich stand auf dem neuen Aufkleber doch nur: »Dein Karma hat endlich über mein Dogma gesiegt (Lionel, *Purgatorio*, Canto Unico).«

Der Dakryologe

»Entschuldigen Sie bitte«, murmelte Jasper Gunderson, während er sich einen Weg durch die Menge bahnte. »Entschuldigen Sie.« Er war noch nie auf einer Vernissage gewesen – er hatte das Wort gar nicht gekannt, als Bruce Rosen es zum erstenmal erwähnte, und als er anhand der Einladung herausgefunden hatte, daß es sich nur um die Eröffnung einer Kunstausstellung handelte, hatte er beinahe beschlossen, nicht hinzugehen. Zeitgenössische Kunst war nicht gerade Gundersons Stärke. Am Empfang hatte er eine Preisliste von Rosens Ölgemälden und Aquarellen gesehen. Die meisten lagen zwischen 9000 und 17000 Dollar. Du meine Güte, dachte Gunderson, ich wußte gar nicht, daß Rosen in dieser Kategorie ist! Während er sich durch die proppenvolle Galerie drängte, ohne auch nur einen Drink in der Hand, hielt er nur nach einem einzigen Gemälde Ausschau. *Pat in Tränen* hatte die Nummer 14. Es war, wie er feststellte, das einzige Bild, das nicht zum Verkauf stand.

Die Nummer 14 befand sich im Nebenraum der Galerie, wo weniger Gedränge herrschte. Patricias Porträt war ein großes Ölgemälde und zwar so groß, daß das Paar, das dem Bild den Rücken zuwandte, die Sicht darauf nur teilweise versperrte. Auf der hellgrauen Leinwand hoben sich die zarten Umrisse einer menschlichen Gestalt ab. Gunderson sah sofort, daß die Frau auf dem Gemälde Tränen vergoß. Eigentlich sollte sie gar nicht weinen, dessen war sich Gunderson sicher: Etwas in ihrem Gesichtsausdruck sagte ihm, daß sie nur Tränen vergoß. Er hatte das Gefühl, als würde Patricia gleich auf Zehenspitzen von der geheimnisvoll grauen Leinwand in den hellen Raum treten.

Die Frau drehte sich um, als sie merkte, wie Gunderson versuchte, um sie und ihren Begleiter herumzugehen.

»Großer Gott, Chuck! Schau dir das mal an! Und wir stehen die ganze Zeit direkt davor.« Sie lächelte Gunderson zu. »Sind Vernissagen nicht schrecklich? Wir achten nicht einmal darauf, was es hier zu sehen gibt. Aber Sie vermutlich schon, stimmt's?«

»Ich gehe normalerweise nicht zu derartigen Veranstaltungen.« Das Geständnis ließ Gunderson wie einen Außenseiter klingen. Er beschloß, zum Ausgleich subtil aufzutrumpfen. »Ich wollte nur dieses Porträt sehen. Ist es nicht erstaunlich, wie Rosen Patricia geradezu zwingt, auf einen zuzukommen, wenn man sie längere Zeit betrachtet?«

»Patricia?« Der Mann ging zur Wand, um das Schildchen zu lesen. »Sie weint tatsächlich.«

»Woher wissen Sie das?« fragte Gunderson scharf.

»Woher ich das weiß? Weil ich Tränen sehen kann. Man muß nur lange genug hinschauen.«

»Nur weil Sie Tränen sehen, bedeutet das noch nicht, daß die betreffende Person weint.«

»Augenblick mal, Chuck«, warf die Frau ein. »Weinen impliziert, daß man unglücklich ist. Was dieser Herr damit sagen wollte, ist doch folgendes: Nur weil du ein paar Tränen siehst, heißt das noch lange nicht, daß die Frau unglücklich ist. Habe ich recht?«

»Genau«, erwiderte Gunderson. »Das habe ich damit gemeint.«

»Übrigens, ich bin Valerie Hemming und das ist Chuck Philpott.«

»Mein Name ist Gunderson«, sagte er und schüttelte ihre angebotene Hand. Er hatte seinen Vornamen absichtlich weggelassen; er war noch nicht bereit, ihren Freund, oder was immer Philpott auch war, mit »Chuck« anzureden.

»Wie heißen Sie mit Vornamen?«

»Jasper«, gestand er.

»Warum weint sie denn nun?« fragte Philpott.

Gunderson starrte auf das Gemälde. Ohne den Blick von Patricia abzuwenden, sagte er: »Weil ihr etwas zu Herzen ging, das sie gehört hat.«

Valerie brach das Schweigen. »Woher wissen Sie das?«

»Ich spüre es.«

Eine unbehagliche Stille hatte sich über sie gesenkt, als plötzlich eine fröhliche Stimme ertöhnte: »Du bist also doch gekommen, Jasper. Ich war nicht sicher, ob du es schaffen würdest – gewöhnlich verläßt du dein Labor ja nicht so früh. Nun, was hältst du von deinem Starsubjekt?«

»Es ist faszinierend, Bruce. Kennst du diese Herrschaften? Das ist Valerie ...«

In Gundersons Kopf herrschte die übliche Leere, doch Philpott kam ihm zu Hilfe. »Ich bin Chuck Philpott. Sie müssen Bruce Rosen sein.«

Man schüttelte sich reihum die Hand.

»Wir haben uns gerade gefragt, warum die Frau wohl Tränen vergießt«, sagte Valerie. »Habe ich es so richtig ausgedrückt, Mister Gunderson? Ist ›Tränen vergießen‹ präzise genug?«

Ihr Grinsen entwaffnete Gunderson. »Völlig.«

»Mister Rosen«, fuhr Valerie fort, »sagen Sie es uns: Was war der Grund für Patricias Tränen?«

Rosen sah sie amüsiert an. »Warum fragen Sie das *mich?* Sie sprechen doch gerade mit einer Autorität von Weltrang, und Patricia war eine von Dr. Gundersons liebsten Versuchspersonen. Stimmt's, Jasper? Aber ich muß wieder hinüber in die Galerie. Ich muß noch eine Menge Leute begrüßen.«

»Sind Sie Arzt?« Philpott klang auf einmal respektvoll.

»Nein«, erwiderte Gunderson. »Ich bin Dakryologe.« Er sagte es völlig ausdruckslos, in Erwartung der üblichen Frage.

Diesmal wurde er enttäuscht. Bevor Philpott auch nur hätte nachfragen können, sagte Valerie schon: »Sind Sie ein weicher oder ein harter Dakryologe?«

»Worüber in aller Welt redet ihr beiden eigentlich?« fragte Philpott.

Auf Valeries Gesicht lag ein triumphierendes Lächeln. »*Dakryos,* das ist griechisch für ›Träne‹.«

»Valerie! Woher weißt du das denn?«

»Ich habe klassische Philologie studiert, bevor ich zur Wharton Business School gegangen bin«, sagte sie, ohne Philpott anzusehen. Ihre Hand lag auf Gundersons Arm. »Nun, wie lautet Ihre Antwort?«

Gunderson genoß die unerwartete Schlagfertigkeit. Er hatte Valerie für einen mondänen Yuppie-Typ gehalten. »Was ist denn der Unterschied?« fragte er. Sexuelle Anspielungen hatte es bei der Erwähnung seines Berufes bislang noch nie gegeben.

»Na, das wissen Sie doch am besten, Jasper.« Ihm gefiel die neckende Art, wie sie ihn mit dem Vornamen anredete. »Interessieren Sie sich für die psychologischen Ursachen von Tränen oder untersuchen Sie ihre Zusammensetzung?«

»Ich glaube, ich bin ein harter Dakryologe mit weichen Anflügen.«

»Wenn das so ist, dann lassen Sie uns miteinander essen gehen«, sagte Valerie.

Im Fahrstuhl sagte Gunderson zu Valerie: »Laden Sie Männer, die Sie eben erst kennengelernt haben, immer zum Essen ein? Und hätten Sie Philpott nicht ebenfalls auffordern sollen? Ich hatte das Gefühl, daß er nicht gerade begeistert war, als wir uns so plötzlich abgesetzt haben.«

Valerie zuckte nur die Achseln. »Chuck ist langweilig. Außerdem habe ich den ganzen Tag BWL-Typen um mich …«

»Sind Sie denn nicht auch Betriebswirtin? Sie sagten doch, Sie hätten in Wharton studiert.« Gunderson war auf einmal entspannt. Und neugierig.

»Natürlich bin ich das.« Sie grinste. »Deshalb hab ich Sie ja eingeladen: Ich möchte nämlich gerne wissen, wie ein Dakryologe funktioniert.«

»Funktioniert?« Gunderson runzelte bewußt die Stirn. »Was für ein analytisches Wort!«

»Das ist ja das Problem bei den Betriebswirtschaftlern wir geben vor, analytisch zu sein, dabei sind wir schlicht neugierig. Warum haben Sie sich gerade auf Tränen verlegt? Ich finde Tränen faszinierend.«

»Das ist ein Wort, das ich im Zusammenhang mit Tränen normalerweise nicht zu hören bekomme.«

»Mögen Sie die indische Küche?«

»Ich habe sie eigentlich noch nie richtig probiert«, erwiderte Gunderson.

»Dann gehe ich mit Ihnen zu Bikash. Das ist genau das richtige Lokal für einen Dakryologen.«

Jasper Gunderson lebte schon seit einigen Jahren allein. Dieser Zustand behagte ihm – eine Reihe flüchtiger Affären, zwei ernste Verhältnisse, aber nichts Dauerhaftes. Ein Dakryologe lernt viele Frauen kennen, muß jedoch darauf achten, Berufs- und Liebesleben nicht durcheinanderzubringen. Patricia Maxwell hätte eine Ausnahme werden können, doch dann war sie zu Bruce Rosen gezogen, und er war der Freund von beiden geworden. Zur Zeit befand er sich in einem dieser Zwischenstadien, in denen seine persönliche Antenne besonders empfindlich auf Frauen reagierten.

Während Valerie mit dem Kellner, einem Sikh, das Menü auswählte, hatte Gunderson erstmals Gelegenheit, sie in aller Ruhe zu studieren. Sie war eine auffallende Frau, die wenig Make-up brauchte und dies offenbar auch wußte: glatte, sonnengebräunte Haut; eine Unterlippe, die in regelmäßigen Abständen von ihrer Zungenspitze angefeuchtet wurde; graue Augen, die ständig amüsiert dreinzublicken schienen; und braunes Haar mit einer gebleichten Strähne, das seitlich und hinten so verwegen kurz geschnitten war, daß es an eine Punkfrisur grenzte. Alles in allem eine gewagte Zusammenstellung für eine Betriebswirtin.

Was Gunderson jedoch ganz besonders angezogen hatte, war das geradezu männliche Selbstbewußtsein dieser Frau, das ihm schon in der Galerie aufgefallen war. Außerdem bestand sie darauf, daß sie ihren Wagen nahmen, einen Triumph-Zweisitzer, und mit offenem Verdeck fuhren. Kaum hatte er die Tür zugemacht, als sie auch schon verkündet hatte: »Ich möchte nach dem Essen nicht darüber streiten, wer bezahlt. Heute abend sind Sie mein Gast.«

»Wir nehmen zunächst Samosas und Masala Popadum«, sagte sie zum Kellner. »Dann hätten wir gerne Hühner-Pall und das Garnelen-Vindaloo ... und bringen Sie uns auch Chapati.« Sie überflog die Speisekarte. »Wir brauchen unbedingt etwas Gemüse. Wie wäre es jeweils mit einer kleinen Portion Spinat-Bhaji und Aloo sag bhaji? Und etwas Reis: den Zaffarani Chawal.« Der Sikh nickte. »Haben Sie schon einmal Lassi getrunken, Jasper?« fragte sie. »Lassen Sie uns heute abend mal ganz indisch sein.«

»Ich weiß nicht einmal, was das ist.«

»Gut«, sagte sie. »Wenn das so ist, dann bestellen wir einen salzigen und einen süßen. Dann können Sie beide probieren. Und bringen Sie uns lieber auch etwas Eiswasser«, setzte sie, zum Kellner gewandt, hinzu. Der Sikh lächelte und verschwand.

Valerie beugte sich über den Tisch. »Also, Jasper, nun verraten Sie mir mal, was Sie damit gemeint haben, Sie seien ein harter Dakryologe mit weichen Anflügen. Mir gefällt diese Beschreibung – vielleicht borge ich sie mir bei Gelegenheit und ersetze ›Dakryologe‹ durch ›Betriebswirt‹.«

»Möchten Sie wirklich die ganze Geschichte hören? Wie ich als analytischer Biochemiker angefangen und Methoden entwickelt habe, um Spurenelemente im Körper festzustellen?« Er hatte einen leicht spöttischen professoralen Ton angeschlagen, von dem Valerie jedoch nichts wissen wollte.

»Machen Sie es kurz und bündig. Weshalb haben Sie sich auf Tränen verlegt?«

Gunderson hörte auf, mit dem Chutney-Schälchen

zu spielen. »Ich konnte einfach der Herausforderung nicht widerstehen, Tränen zu untersuchen, als ich hörte – das liegt nun sechs Jahre und ein paar hundert Freiwillige zurück –, daß wir über ihre Zusammensetzung weniger wissen als über die jeder anderen physiologischen Flüssigkeit. Es dauerte lange, allein die Zusammensetzung der Basaltränen nachzuweisen – also der Tränen, die wir ständig produzieren, die uns nie die Wangen hinunterlaufen. Ich habe zwei Verfahren benutzt, Kapillargaschromatographie und Massenspektrometrie ...«

»Bitte, Jasper, kommen Sie endlich zur Sache!«

Gunderson sah sie verblüfft an. »Haben Sie neben klassischer Literatur etwa auch Chemie studiert?«

»Natürlich nicht. Aber Sie erzählen mir da von Ihrer Arbeit als harter Dakryologe. Was mich dagegen interessiert, ist der weiche Aspekt: Worauf läuft die ganze Chemie denn hinaus?«

Eine von Gundersons Eigenheiten bei den Mahlzeiten war es, immer mit den Händen beschäftigt zu sein. Er begann auf dem beschlagenen Wasserglas zu malen. »Inzwischen kann ich faktisch alle organischen Bestandteile einer Träne so darstellen, daß ich quasi einen chemischen Fingerabdruck erhalte.«

»Wollen Sie damit sagen, daß jeder Mensch andere Tränen hat?«

Gunderson drehte das Glas herum, um eine unbenutzte Fläche für seine Kritzeleien zu finden. »Im Gegenteil. Tränen sind sich ziemlich ähnlich, auch wenn die Fingerabdrücke recht komplex sind. Unsere Methoden sind so verfeinert, daß wir die kleinsten Spuren – Teile pro Milliarde – organischer Verbindungen nachweisen können. Eines Tages stellten wir einen Unterschied zwischen Tränen männlicher und weiblicher Versuchspersonen fest. Die Tränen von Männern enthielten Metaboliten des männlichen Sexualhormons Testosteron, während wir bei Frauen – je nach Zeitpunkt des Menstruationszyklus – auf unterschiedliche Mengen von Östrogen- und Progesteron-Hormonderivaten stießen.«

Seine Begleiterin sah beeindruckt aus, wie es bei Laien gelegentlich der Fall ist, wenn Wissenschaftler dozieren. »Jasper, sagen Sie bloß nicht, daß Sie anhand der Tränen einer Frau feststellen können, ob sie schwanger ist.«

»Noch nicht. Wir haben noch nicht genügend verschiedene Tränenproben von schwangeren Frauen untersucht. Aber Ihre Frage kommt meinem Interesse an der ›weichen‹ Dakryologie schon näher. Ich habe mich gefragt: Wenn man Spuren von Sexualhormonen entdecken kann, wie steht es dann mit anderen chemischen Stoffen, die mit Stimmungsveränderungen in Zusammenhang stehen? Mit Hormonen wie Adrenalin oder mit Cortison verwandten Steroiden, die bei Streß produziert werden; Stoffen wie Serotonin und anderen psychogenischen Faktoren. Ich dachte, wenn uns das gelänge, dann würde uns die Analyse von Tränen vielleicht Einblick in ihren Ursprung gewähren – zumindest dahingehend, ob es Tränen des Glücks und der Freude oder der Trauer und des Schmerzes sind.«

»Und können Sie das?« fragte Valerie.

»Wir sind auf dem besten Wege«, erwiderte Gunderson. »Was wir brauchen, sind Werte von noch viel mehr Freiwilligen.«

»Wie sammeln Sie die Tränen? Woher wissen Sie, ob

die Tränen tatsächlich produziert wurden, als die betreffende Person fröhlich oder deprimiert war? Woher wissen Sie …«

Gunderson hob die Hände. »Haben Sie mich zum Essen eingeladen oder zu einem Schnellkurs in Dakryologie?«

»Beides«, sagte sie. »Aber da kommt die Vorspeise. Ich werde Sie jetzt erst mal in Ruhe lassen, während wir die Samosas essen und Sie den Lassi probieren.«

Gunderson ließ sich beim Kauen Zeit. So hatte er einen Moment, um sich zu überlegen, ob er Valerie von Patricia Maxwell erzählen sollte. Warum nicht, dachte er; schließlich hat mich Patricia mit Valerie zusammengebracht.

»Lassen Sie mich mit Patricia Maxwell anfangen, deren Porträt Sie in der Galerie gesehen haben. Sie war eine der ersten Versuchspersonen – als wir im Labor noch die grundlegenden Werte unter kontrollierten Bedingungen ermittelten. Wir suchten Personen, die eine Neigung zum Tränenvergießen hatten, die sich leicht in eine zu Tränen betrübte oder vergnügte Stimmung versetzen konnten und die bereit waren aufzuschreiben, was sie im jeweiligen Augenblick zum Weinen gebracht hatte. Übrigens sammeln wir immer Tränen von beiden Augen, so daß wir für jedes Ereignis zwei Proben haben.«

»Wissen Sie, Jasper«, sagte Valerie, »daß Sie Ihre Patienten ›zu Tränen betrübt‹ machen, klingt nicht gerade so, als ob das für sie eine tolle Sache wäre. Oder nennen Sie sie nicht Patienten?«

»Nein. Sie sind doch nicht krank. Auf alle Fälle kam da Patricia ins Spiel. Im Stimmungslabor konnte sie sich innerhalb von Minuten in einen glücklichen oder unglücklichen Zustand versetzen, daß die Tränen nur so flossen.«

»Stimmungslabor?«

»Das ist ein kleiner Raum mit bequemen Sesseln, einem Videogerät, einem Plattenspieler mit Kopfhörern und einer guten Leselampe; nichts weiter. Wir verwenden Videobänder, Musik oder Bücher, um die Leute in unterschiedliche Stimmungen zu versetzen, die ihnen Tränen entlocken. Wir lassen sie die Tränen sammeln und ihre Stimmung numerisch auf einem Stimmungsbarometer definieren.«

»Das ist doch nicht Ihr Ernst! Gibt es so etwas überhaupt?«

Es gab Augenblicke, in denen Gunderson es haßte, über seine Forschungsmethoden ausgefragt zu werden – besonders die ›weichen‹. Jedesmal wenn er am Stimmungslabor vorbeikam und unterdrücktes Schluchzen oder schallendes Gelächter hörte, schauderte es ihn. Kann ein Biochemiker so etwas Forschung nennen? Es bedurfte immer einer gewissen Anstrengung, um überzeugend zu klingen, wenn er seine Versuchspersonen bat, ein ›Profil der Stimmungszustände‹ auszufüllen – eine Skala mit einer Menge Adjektiven, anhand derer sich die psychogenen Ursachen des Weinens deduzieren ließen. Oder das ›Becksche Depressionen-Verzeichnis‹, das sich wenigstens klinischer anhörte. Aber alles, was er von ihnen bekam, waren Worte, und er wollte Zahlen. So kam er auf das Barometer.

»Es ist einfach eine willkürliche Skala, von Null bis Hundert. Man müßte schon irrsinnig glücklich sein, um sich als Hundert einzustufen, und hoffnungslos deprimiert, um bei Null zu liegen. Die numerischen

Bewertungen basieren auf speziellen Fragebögen, die unsere Testpersonen umgehend ausfüllen, sobald wir ihre Tränen gesammelt haben.«

Valerie hörte aufmerksam zu, die Ellbogen auf den Tisch gestützt, das Kinn in die Hände geschmiegt. »Sprechen Sie weiter.«

»Nun – Patricia war phänomenal. Sie konnte sich innerhalb von Minuten von einer Stimmung auf eine andere umstellen. Ihre Tränenzusammensetzung war unglaublich reproduzierbar. Nachdem wir erst einmal das Vorhandensein bestimmter psychogener Substanzen in Tränen ermittelt hatten, verließen wir das Stimmungslabor und gingen zu Feldstudien über. Hier, sehen Sie mal.« Jasper fischte ein Zellophanbriefchen aus der Tasche. »Das ist eine Art medizinischer Schwamm, den wir unseren Freiwilligen mitgeben. Das sind Leute – in der Hauptsache Frauen, wie ich zugeben muß –, die bereit sind, jedesmal wenn sie weinen, Tränen beizusteuern. Wir bitten die Frauen nur, in Augennähe kein Make-up zu tragen und überschüssige Tränen mit dieser absorbierenden Kompresse abzutupfen, sie in das Briefchen zu legen und es zu beschriften. Das einzige, was wir sonst noch verlangen, ist, daß sie ihre Stimmung sobald wie möglich auf unserer Barometerskala bestimmen. Es geht uns darum, eine Sammlung unterschiedlicher chemischer Fingerabdrücke – wir nennen sie Dakryogramme – für Tränen anzulegen, die unter verschiedenen Umständen produziert wurden.«

Gunderson war sich vage bewußt, daß er doziert hatte, doch Valerie schien das nichts auszumachen. Er war gerade im Begriff, sie zu fragen, ob sie sich seinem dakryologischen Gefolge anschließen wolle (so nannte er seine Freiwilligen, wenn auch nicht in deren Beisein), als sie vom Kellner unterbrochen wurden, der ihnen das Essen brachte.

»Womit soll ich anfangen? So ziemlich das einzige, was mir bekannt vorkommt, ist der Spinat.«

»Probieren Sie die einzelnen Speisen, und dann werden Sie ja sehen, was Ihnen am besten schmeckt«, sagte Valerie.

Gunderson griff zu dem Hühner-Pall.

»Nehmen Sie erst mal ganz wenig«, sagte Valerie, aber die Warnung kam zu spät. Gunderson wollte schon eine anerkennende Bemerkung machen, als seine Zunge das erste Brennen registrierte. Sein nächster Atemzug ähnelte einem Blasebalg, der ein schwelendes Feuer gerade noch im richtigen Moment erwischt hatte. Gundersons naheliegende Reaktion bestand darin, das brennende Zeug aus dem Mund zu bekommen, doch in seiner Panik entschied er sich für die falsche Richtung: Er schluckte es. Valerie hatte sich mit der Hand den Mund zugehalten, aus Mitgefühl und um ein Lachen zu unterdrücken, als sie sah, wie seine Augen hervortraten und Panik in ihnen aufstieg. Gunderson stürzte sein Glas Wasser in einem Zug hinunter, doch es war, als träfe Wasser auf Saunasteine: eine Dampfwolke und momentane Abkühlung, gefolgt von einem Schwall feuchter, noch intensiverer Hitze.

Er kramte nach seinem Taschentuch, um sich die Tränen abzuwischen, gab die Suche jedoch auf, bevor er fündig wurde, um seine fast unberührten Gläser mit Lassi in sich hineinzuschütten, so daß er weder die Süße noch das Salz, noch das Joghurt schmeckte und nur ein leichtes Nachlassen des Feuers in seinem Mund verspürte. In dem Moment tauchte der Sikh auf.

Majestätisch goß er Eiswasser in das Glas und wischte Gunderson mit einer angefeuchteten Serviette die Stirn ab.

»Wie konnten Sie nur so etwas bestellen!« keuchte er, nachdem er das vierte Glas geleert hatte.

»Ich mag nun mal wahnsinnig gern scharfe Sachen, aber den Pall esse ich immer mit viel Chapati. Sehen Sie?« sagte sie. »So macht man das. Tut mir leid, Jasper, daß ich Ihnen das angetan habe. Aber verbuchen Sie es einfach als Berufserfahrung. Wie würde Ihr Dakryogramm Ihrer Meinung nach aussehen, wenn Sie die Tränen analysieren würden, die Sie soeben vergossen haben?«

»Das ist eine gute Frage«, räumte Gunderson ein. »Es gibt ein seltenes pathologisches Leiden – den sogenannten gustolakrimalen Reflex –, bei dem jemand weint, sobald er etwas ißt. Aber wir haben uns noch nicht damit befaßt, die Tränen normaler Menschen zu analysieren, die Sachen wie das da essen.« Trotz des schwelenden Feuers in seinem Mund grinste er. »Ich rühre nichts mehr an, bis ich gesehen habe, wie Sie es machen.«

Valerie nahm einen Bissen von dem Garnelen-Vindaloo. »Das ist sehr gut, aber nicht so scharf; überhaupt nicht mit dem Pall zu vergleichen. Versuchen Sie es ruhig.«

Sie lehnte sich zurück und fragte: »Würden Sie mich als Freiwillige nehmen?«

»Warum fragen Sie das?« sagte er, um Zeit zu gewinnen.

»Ich weine oft. Ich bemühe mich, daß es mir nicht im Büro passiert. Man würde es nur für ein Zeichen der Schwäche halten, aber schließlich ist doch nichts dabei, sich hin und wieder richtig auszuheulen, stimmt's? Sagen Sie«, setzte sie nach einer Pause hinzu, »haben Sie schon herausgefunden, warum man so ein Gefühl der Erleichterung verspürt, wenn man geweint hat?«

Gundersons Mund stand halb offen, um die erste Garnele aufzunehmen, doch nun ließ er es bleiben. Statt dessen benutzte er die Gabel, um seine Worte zu unterstreichen, während er im Vortragsstil weitersprach: »In Minnesota gibt es einen Mann, der glaubt, daß das Vergießen von Tränen vielleicht die Methode ist, mittels derer sich der Körper streßbedingter Substanzen entledigt.«

»Trifft das auf alle Arten des Weinens zu?«

Die Gabel pendelte im gleichen Rhythmus hin und her wie Gundersons Kopf. Beide bemerkten die tanzende Garnele und lachten. »Nein, auf alle Tränen bestimmt nicht. Ich bezweifle beispielsweise, daß Frey – das ist der Mann in Minnesota – behaupten würde, daß die Tränen, die Sie soeben über mein Gesicht strömen sahen, in diese Kategorie fallen. Nicht meine Tränen haben mir geholfen, mich von dem Huhn zu erholen, sondern die vier Gläser Wasser. Nein, Frey dachte nur an emotional stimulierte Tränen – was wir psychogenes Weinen nennen. Seine Hypothese basiert in erster Linie auf der Beobachtung, daß jemand, der mit frisch geschnittenen Zwiebeln in Berührung kommt, ein kleineres Tränenvolumen produziert, als wenn der Betreffende wegen einer emotialen Belastung weint. Aber er müßte bloß einmal hierher kommen ...« Er deutete auf das Hühner-Pall. »Es ist noch zu früh, um sagen zu können, ob Tränen das natürliche Entsorgungssystem für emotionalen Abfall sind.« Gunderson fand diese Metapher nicht schlecht. »Aber vielleicht können wir Beweise für Freys Hypothese liefern.«

»Sie sammeln also jetzt Dakryogramme«, sagte Valerie, »um herauszufinden, ob Sie feststellen können, warum jemand geweint hat, nicht so sehr, um zu bestimmen, was für eine Funktion Tränen haben?«

»Genau.«

»Wenn das so ist, dann hätte ich gerne eine Ladung von Ihren Schwämmen und einen Stapel von Ihren emotionalen Checklisten. Ich möchte die Sache gerne selbst ausprobieren. Ich möchte Ihr« – sie zögerte kurz – »dakryologisches Können testen, bevor ich mich in irgendeiner Weise als Freiwillige verpflichte.«

In den Wochen nach dem gemeinsamen Abendessen lieferte Valerie mehrere sorgfältig beschriftete Briefchen ab – sowohl Datum als auch Stunde der jeweiligen Tränensammlung waren genau vermerkt –, hielt jedoch die Stimmungsbarometer-Werte und die ausgefüllten Stimmungszustandsprofile zurück. Auf diese Weise wollte sie, wie sie Gunderson schriftlich mitteilte, die Validität seiner Dakryogramme testen. Er nahm die Herausforderung an, teils aus beruflicher Eitelkeit und teils, weil dieser Sachverhalt es rechtfertigte, den gesellschaftlichen Kontakt mit Valerie aufrechtzuerhalten. Schließlich konnte sie wohl kaum als gewöhnliches Versuchsobjekt betrachtet werden, wenn sie nicht bereit war, das Standardverfahren einzuhalten.

Die ersten fünf Proben kamen gut heraus. Gunderson identifizierte zwei Proben korrekt als ›Glücklich‹ – Valerie hatte sie auf der Skala des Stimmungsbarometers als 75 und 82 eingestuft – und drei als ›Deprimiert‹. Er lieferte sogar ein beeindruckendes Beispiel der Aufschlüsselung: Eines der Dakryogramme hatte mehrere charakteristische ›Wut‹-Peaks aufgewiesen, während die beiden anderen in die übliche Kategorie ›Traurig‹ fielen.

Eines Tages rief Valerie nach dem Mittagessen an, um mitzuteilen, daß sie kurz beim Wet Eye Institute vorbeikommen werde, um eine neue Probe abzugeben. Als Jasper den Namen seines Labors zum erstenmal erwähnt hatte, hatte Valerie gelacht. Leicht irritiert hatte Gunderson ihr erklärt: »In Texas gibt es ein Dry Eye Institute« – obgleich er es sich verkniffen hatte hinzuzufügen, daß es sich ausgerechnet in der Stadt Lubbock befand –, »das die verschiedenen pathologischen Zustände untersucht, die mit einem übermäßigen Austrocknen des Auges in Verbindung stehen.« In einem Anflug wissenschaftlichen Auftrumpfens hatte er hinzugefügt, daß selbst der Gebrauch von oralen Empfängnisverhütungsmitteln das Tränenvolumen beeinflußt.

»Ich habe Ihnen eine ganz besondere Probe gebracht, die von heute früh stammt. Ich bin gespannt, was Sie darin finden.« Sie waren in seinem kleinen Büro neben dem Labor. Gunderson bot ihr an, sie durch sein berufliches Reich zu führen – er war bestrebt, ihr zu imponieren –, doch Valerie lehnte ab.

»Ein andermal«, sagte sie. »Ich muß wieder ins Büro, und Sie müssen meine Tränen analysieren.«

Die neuesten Dakryogramme von Valerie tauchten erst drei Tage später in Gundersons Büro auf. Am Tag davor hatte er am Telephon eine merkwürdige Enttäuschung aus Valeries Stimme herausgehört, als sie entdeckte, daß ihre Tränen noch nicht untersucht worden waren.

Um die Überprüfung der Dakryogramme, von denen er sich täglich Dutzende anschauen mußte, zu beschleunigen, hatte er Schablonen bestimmter Standarddiagramme angefertigt, die alle die mit ›glücklichem‹ oder ›unglücklichem‹ Weinen verbundenen chemischen Peaks aufwiesen sowie einige der Aufschlüsselungen, die er hatte nachweisen können. Gunderson hatte es sich zum Grundsatz gemacht, niemals beschriftete Dakryogramme zu untersuchen – er wollte bei seiner Bewertung nicht voreingenommen sein. Erst als er ein bestimmtes Diagramm mit sämtlichen Standardschablonen verglichen hatte und auf zwei merkwürdige Peaks gestoßen war, die er noch nie beobachtet hatte, entdeckte er, daß es von Valeries linkem Auge stammte. Eine halbe Stunde später stieß er auf eine zweite anomale Probe mit den gleichen zusätzlichen Peaks – von Valeries rechtem Auge. Es war allgemein Usus im Labor, die Dakryogramme der Tränen des rechten und des linken Auges einer Versuchsperson mit allen anderen Dakryogrammen zu vermischen. Dadurch ergab sich ein unabhängiger Test der Validität seiner analytischen Verfahrensweise: festzustellen, ob er die beiden zusammengehörenden Proben aus einer großen Menge herausfinden konnte.

»Valerie? Woher stammte die letzte Probe?« Es war erst das zweite Mal, daß er sie im Büro anrief. Er wollte nicht etwa plaudern. »Die beiden Dakryogramme weisen gewisse Merkwürdigkeiten auf.«

»Das ist doch nicht meine Schuld«, sagte sie neckend, aber mit einem Anflug von Stolz.

»Können Sie mir eine weitere Probe davon besorgen? Wir würden das Ganze gerne nochmals untersuchen, um festzustellen, ob wir diese neuen Peaks identifizieren können.«

»Ich habe also neue Peaks? Ja, ich kann Ihnen eine neue Probe bringen.«

»Wie schnell?«

Valerie zögerte. »Ich bin gerade in einer Besprechung. Warten Sie. Vielleicht heute abend. Am späten Abend. Noch besser wäre es am Vormittag. Ja, morgen vormittag. Ich bringe sie auf dem Weg ins Büro vorbei.«

Diesmal landeten Valeries neue Proben nicht auf dem Boden des Stapels. Gunderson hatte am Empfang Anweisung hinterlassen, daß Valerie sie persönlich in sein Büro bringen sollte. Doch Valerie erschien nicht. Die Empfangsdame brachte einen Umschlag, der die beiden Proben und eine Nachricht enthielt: *Jasper – Rufen Sie mich an, wenn Sie sie analysiert haben, aber nicht im Büro. Ciao, Val.*

Nur ein einziges Mal hatte jemand Gunderson ins Gesicht gesagt, daß einige seiner Freiwilligen es ihm tatsächlich übelnahmen, daß er ihre Stimmungen anhand ihrer Tränen identifizieren konnte. Patricia Maxwell hatte ihm erklärt, daß seine Tränenexperimente sie am Anfang fasziniert hätten; daß sie gerne zu seinen ursprünglichen analytischen Untersuchungen beigetragen hatte. Aber als er begann, ihre Stimmungen in chemischen Begriffen zu definieren, hatte sie das als eine Belästigung empfunden, genau wie Bruce Rosen. »Hör mal, Jasper, ich kann nicht mehr in dein Labor kommen«, hatte sie gesagt. »Ich will meine Stimmungen nicht chemisch definiert haben. Bruce fragt mich nie wegen meiner Tränen, aber du solltest mal das Porträt sehen, das er gerade von mir gemalt hat. Meine Gefühle sind deutlich zu erkennen, und trotzdem habe ich nicht das Gefühl, daß man mir Gewalt angetan hat.« Nun fragte er sich, ob Valeries Widerwille, persönlich mit ihren letzten Proben zu erscheinen, etwas mit Patricias damaligen Gefühlen zu tun hatte.

Diesmal analysierte Gunderson Valeries Proben selbst und stellte fest, daß die beiden neuen Peaks sogar noch ausgeprägter waren. Er verbrachte den Rest des Vormittags damit, die Werte zu verfeinern.

»Valerie? Ich weiß, daß Sie gesagt haben, ich sollte Sie nicht im Büro anrufen. Aber ich habe Ihre beiden letzten Proben gerade selbst analysiert, und ich glaube, daß ich auf der richtigen Spur bin. Darf ich Ihnen nur rasch ein paar Fragen stellen?«

»Von mir aus«, sagte sie mit einer Ungeduld, die nicht ganz echt zu sein schien. »Aber machen Sie es kurz, ich bin in einer Besprechung.«

»Valerie …« Jasper zögerte. »Haben Sie zufällig gerade mit einer hormonellen Empfängnisverhütung angefangen?«

»Was?« Sie lachte schallend.

»Nehmen Sie seit neuestem die Pille?«

»Aber Dr. Gunderson! Das ist mir ja eine schöne Frage, die Sie mir da nachmittags um drei in meinem Büro stellen.«

»Bitte, Valerie; im Ernst. Die Peaks in Ihren Tränen sind ungewöhnliche Steroid-Metaboliten, die von einer der neuen Anti-Baby-Pillen stammen könnten. In Ihren ersten fünf Proben waren sie nicht vorhanden.«

»Ich muß Sie leider enttäuschen, Herr Doktor.« Sie senkte die Stimme. »Ich nehme seit fünf Jahren die gleiche Pille. Tut mir leid, Jasper.«

»Ach.« Gundersons Enttäuschung war deutlich zu spüren. »Nur noch eine Frage. In welchem Stadium Ihres Menstruationszyklus befinden Sie sich derzeit?«

Nach einer Pause antwortete sie: »Am Ende der ersten Woche.« Sie fügte hinzu: »Ich rufe Sie heute abend an, aber es wird ziemlich spät sein. Ich habe heute abend eine geschäftliche Verabredung.«

Als das Telephon klingelte, dirigierte Gunderson mit der einen Hand gerade den dritten Satz des Quartetts ›Der Tod und das Mädchen‹ und blätterte mit der anderen langsam die Seiten der neuesten Ausgabe von *Biochimica et Biophysica Acta* um.

Valerie sagte: »Wie ich höre, schlafen Sie noch nicht. Was hören Sie da?«

»Schubert«, sagte er. »Valerie, können Sie diese Tränen nach Belieben produzieren?«

»Fast.«

»Ist es jederzeit möglich?«

»Theoretisch schon.«

»Was heißt das?« drängte Gunderson. »Das heißt genau das. Theoretisch könnte ich jederzeit so weinen, aber in der Praxis tue ich es eben nicht.«

»Lösen die Handlungen eines anderen Ihre Tränen aus?«

»Nein«, sagte sie nach kurzem Zögern, »nicht unbedingt.«

»Na schön, genug geraten. Ich gebe auf. Verraten Sie mir, was diese Tränen produziert.«

»Produziert?« wiederholte sie. »Was für ein analytisches Wort. Aber es wäre wohl angebracht, dieses Rätsel der Wissenschaft bei einem Essen für Sie zu lösen. Ich werde bei mir zu Hause für Sie kochen, aber vor Samstagabend schaffe ich es nicht.«

Der Abend war wunderbar. Das Essen war mild und vorzüglich; nichts Scharfes, eher eine amerikanische Version der *nouvelle cuisine.* Die Wohnung war modern italienisch möbliert – nicht, wie bei Yuppies üblich, im skandinavischen Stil. Die Wände zierten einige avantgardistische Drucke, ein großes abstraktes Ölgemälde und viele Bücher; einige der volkswirtschaftlichen Titel waren für Gunderson fast ebenso unverständlich wie die griechischen. Daneben standen ledergebundene Ausgaben von Ovid, Vergil und Catull und ein ganzes Regal mit französischer Literatur. »Können Sie außer Griechisch und Latein auch noch Französisch?« fragte er, als sie mit einer geöffneten Weinflasche aus der Küche kam.

»*Mais oui, Monsieur Jaspèr*«, erwiderte sie, indem sie seinen Namen auf der letzten Silbe betonte und das R sanft rollte.

Sie saßen auf dem Sofa, tranken Portwein und lauschten Bergs ›Lyrischer Suite‹. Das einzige Licht kam von den vier Kerzen auf dem Tisch im Eßzimmer. Valerie lehnte in einer Ecke des Sofas, ohne Schuhe, in einem schlichten weißen Seidenkimono und Hosen, um die Taille einen schwarzen Gürtel im Karate-Stil. »Zufrieden?« fragte sie und hob ihr Glas.

»Zufrieden«, sagte Gunderson. »Aber nicht befriedigt. Was ist nun mit diesen Tränen?«

Valerie rutschte zu ihm hinüber, nahm ihm das Glas aus der Hand und küßte ihn. Sie war unter ihrem Seidengewand nackt und nicht zu einem längeren Vorspiel aufgelegt. Gunderson hatte kaum begriffen, was sich da abspielte, als er auch schon auf dem Rücken lag und Valerie auf ihm ritt. Ihr Oberkörper war zurückgebeugt, und ihre Hände umklammerten Jaspers gespreizte Beine, bis sie laut keuchend auf ihm zusammenbrach und ihre Tränen seinen Hals benetzten.

Haffmans-Bücher
bei Heyne

01/8726

Außerdem lieferbar:

Gisbert Haefs
Hannibal
Der Roman Karthagos
01/8628

Julian Barnes
**Eine Geschichte der Welt
in 10½ Kapiteln**
01/8643

Max Goldt
Die Radiotrinkerin
01/8739

Gerhard Mensching
Die abschaltbare Frau
01/8755

Flann O'Brien
In Schwimmen-Zwei-Vögel
01/8771

Carl Djerassi
Cantors Dilemma
01/8782

Robert Gernhardt
Die Toscana-Therapie
01/8798

Wilhelm Heyne Verlag
München

HEYNE
BÜCHER

Literatur

»Es war, als brennte ein Feuer in meiner Seele, und an dieses Feuer glaubte ich.«   Dostojewskij

H. F. Peters
Lou Andreas-Salome
Das Leben einer außergewöhnlichen Frau
12/8

Gabriele Hoffmann
Heinrich Böll
12/209

Geir Kjetsaa
Dostojewskij
12/183

Mary Lavater-Sloman
Annette von Droste-Hülshoff
Einsamkeit und Leidenschaft
12/77

Lutz Tantow
Friedrich Dürrenmatt
Moralist und Komödiant
12/216

Ruth Rahmeyer
Ottilie von Goethe
Das Leben einer ungewöhnlichen Frau
12/228

Gabriele Kreis
Irmgard Keun
»Was man glaubt, gibt es«
12/231

Jakob Hessing
Else Lasker-Schüler
Ein Leben zwischen Bohème und Exil
12/156

Dietrich Gronau
Anaïs Nin
Erotik und Poesie
12/235

Ronald Hayman
Sylvia Plath
Liebe, Traum und Tod
12/223

Pierre-Louis Rey
Marcel Proust
Die verlorene und die wiedergefundene Zeit
12/199

Joy D. Marie Robinson
Antoine de Saint-Exupéry
Schriftsteller, Flieger und Abenteurer
12/229

Jürgen Klein
Virginia Woolf
Genie – Tragik – Emanzipation
12/114

Dieter Gronau
Marguerite Yourcenar
Wanderin im Labyrinth der Welt
12/225

Wilhelm Heyne Verlag
München

Erzähler der Weltliteratur

Literarische Lesebücher, die herausragende Erzählungen bedeutender Schriftsteller in repräsentativer Auswahl vereinen.

Günther Fetzer (Hrsg.)
**Deutsche Erzähler des
20. Jahrhunderts**
01/8707

Günther Fetzer (Hrsg.)
**Europäische Erzähler des
20. Jahrhunderts**
01/8708

Günther Fetzer (Hrsg.)
**Amerikanische Erzähler des
20. Jahrhunderts**
01/8709

Wilhelm Heyne Verlag
München

Neuland

Heyne Science Fiction Band 2000
Autoren der Weltliteratur schreiben über die Welt von morgen.

Die Zukunft hat schon seit jeher die besten Autoren der Weltliteratur fasziniert. Gerade in jüngster Zeit hat sich dieses Interesse
deutlich verstärkt. Etablierte Schriftsteller wie Doris Lessing,
Patricia Highsmith, Fay Weldon, Lars Gustafsson, Friedrich Dürrenmatt oder Italo Calvino haben sich ebenso mit der Welt von
morgen auseinandergesetzt wie die führenden Kultautoren der
jüngeren Generation, z.B. Ian McEwan, Paul Auster, Martin Amis,
Peter Carey oder T. C. Boyle.
Der vorliegende Sammelband bietet erstmals einen repräsen-
tativen Überblick über einen bisher, sehr zu Unrecht, wenig
beachteten Bereich der Weltliteratur. Erzähler aus Australien,
Brasilien, Deutschland, Großbritannien, Italien, Kanada, Ruß-
land, Schweden, der Schweiz und den USA versammeln sich hier
zu einem Gipfeltreffen literarischer Imagination. Neuland – in
jeder Beziehung.

Karl Michael Armer/Wolfgang Jeschke
Neuland
06/5000

Wilhelm Heyne Verlag
München